Hans-Jürgen Hantschel   Pau

Mit Erfolg zur Mittelstufenprüfung

Testbuch

Ernst Klett International
Stuttgart

Quellennachweis: Bilder

S. 26 © privat; © Audi-Werke, Ingolstadt.
S. 27 © Klett-Perthes, Gotha.
S. 52 oben: © Bilderberg, Hamburg.
       unten: © Bilderdienst Süddeutscher Verlag, München.
S. 53 oben: © Bilderdienst Süddeutscher Verlag, München. © Martin Brockhoff.
       unten: © privat; © Deutsche Bahn AG.
S. 74 © Bilderdienst Süddeutscher Verlag, München.
       © laenderpress, Mainz.
S. 75 © privat; © Christian G. Irrgang, Hamburg.
S. 96 © Lauer - Anthony, Starnberg. © Bilderdienst Süddeutscher Verlag, München.
S. 97 links: © Martin Brockhoff.
       rechts: © laenderpress, Mainz.

Für Zinka

Gedruckt auf Papier aus,
chlorfrei gebleichtem Zellstoff,
säurefrei.

1. Auflage 1 ⁵ ⁴ ³ ² │ 2002 2001 2000 1999

Alle Drucke dieser Auflage können nebeneinander benutzt werden,
sie sind untereinander unverändert.
Die letzte Zahl bezeichnet das Jahr des Druckes.

Satz und Bildbearbeitung: Sibylle Egger, Stuttgart
Druck: Mitteldeutsche Druckerei GmbH, Heidenau · Printed in Germany

ISBN: 3-12-**675388**-4

Vorwort

Die Zentrale Mittelstufenprüfung des Goethe-Instituts ist weltweit bekannt. Arbeitgeber im In- und Ausland schätzen sie als zuverlässigen Nachweis allgemeinsprachlicher Deutschkenntnisse auf fortgeschrittenem Niveau. An einer Reihe von deutschen Hochschulen bzw. Studienkollegs befreit das Zeugnis der bestandenen Zentralen Mittelstufenprüfung von der sprachlichen Aufnahmeprüfung, an anderen ist sie eine der Bewerbungsvoraussetzungen. Aus diesen Gründen nehmen immer mehr Deutschlernende auf der ganzen Welt an ihr teil.

Mit der erfolgreichen Teilnahme an der Zentralen Mittelstufenprüfung weisen Sie nach, dass Ihnen die überregionale deutsche Standardsprache geläufig ist. Sie verwenden die wichtigsten Strukturen der deutschen Sprache sicher und Ihr umfangreicher Wortschatz erlaubt Ihnen, sich in allen wichtigen Bereichen und Belangen Ihres Lebens der Situation angemessen auszudrücken. Komplexe und anspruchsvolle Texte verstehen Sie nicht nur, Sie können sie darüber hinaus schriftlich produzieren. Sie sind kurzum kompetenter Partner in der Sprache Deutsch.

Sie haben sich entschlossen die Zentrale Mittelstufenprüfung abzulegen. Doch was gut ist, ist auch teuer. Sie haben den ersten Schock über die nicht unerheblichen Prüfungsgebühren überstanden. Sie möchten aber sichergehen, dass Sie die Prüfung beim ersten Anlauf bestehen. So nehmen wir, die Autoren, an, denn warum sonst sollten Sie dieses Vorwort lesen?

Viele Wege führen nach München, zum Sitz des Goethe-Instituts, von wo aus Ihnen später das Zeugnis über die bestandene Mittelstufenprüfung zugesandt wird. Die Goethe-Institute auf der ganzen Welt bieten spezielle Sprachkurse zur Prüfungssvorbereitung an. Auch an den Volkshochschulen Deutschlands werden qualifizierte Kurse durchgeführt. Wenn Sie an einem privaten Lehrinstitut Deutsch lernen, fragen Sie, ob die angebotenen Mittelstufenkurse zur Zentralen Mittelstufenprüfung des Goethe-Instituts führen, da Ihnen andere Nachweise von den Universitäten nicht anerkannt werden.

Auf keinen Fall sollten Sie auf den Besuch eines solchen Kurses verzichten. Die Dozenten können direkt und umfassend – zumindest in den meisten Fällen - Unklarheiten auflösen, Fehler korrigieren.

Doch hier zeigt sich auch, dass der Besuch eines Kurses allein oft nicht genügt, um die Prüfung erfolgreich zu bestehen. Wer das Zertifikat Deutsch abgelegt hat, wird schnell feststellen, dass bis zur Mittelstufenprüfung noch einige Fleiß- und Denkarbeit zu leisten ist.

Wir, die Autoren des vor Ihnen liegenden Werkes *Mit Erfolg zur Mittelstufenprüfung*, leiten selbst seit Jahren Mittelstufenkurse an der Volkshochschule Wiesbaden, in denen wir auf die Prüfung vorbereiten. Im Laufe der Zeit haben wir gelernt, die Möglichkeiten von Kursteilnehmern und Kursteilnehmerinnen die Prüfung zu bestehen sicher einzuschätzen. Dabei mussten wir feststellen, dass im Kurs selbst nicht genügend Zeit zum Üben der besonderen Prüfungstechniken bleibt und viele Kursteilnehmer sich weiteres Material zur Vorbereitung wünschten.

Diese Prüfungstechniken und das Übungsmaterial zum erfolgreichen Bestehen der Mittelstufenprüfung wollen wir Ihnen mit dem vorliegenden Band und dem dazugehörigen Übungsbuch sowie der Kassette bzw. CD vermitteln. Sie finden vier Prüfungsdurchgänge, die denen des Goethe-Instituts entsprechen. Sie finden Erklärungen, wie die einzelnen Tests aufgebaut sind und was von Ihnen gefordert wird. Sie finden Tipps aus der Praxis, wie Sie die einzelnen Prüfungsteile am besten erfolgreich bewältigen können.

Im Arbeitsbuch können Sie darüber hinaus vorhandene Unsicherheiten ausgleichen. Grammatik, Strukturen und Wortschatz, die unverzichtbar für ein erfolgreiches Bestehen der Prüfung sind, bieten wir dort zum Nachschlagen, Üben und Wiederholen an.

Abschließend möchten wir all denen Dank sagen, die uns bei der Entstehung dieses Werkes unterstützt haben: Kolleginnen und Kollegen, Kursteilnehmerinnen und Kursteilnehmern. Namentlich bedanken wir uns bei unseren Liebsten Zinka Hantschel und Šera Smail für ihre Geduld und ihren Ansporn.

Nun bleibt einzig zu sagen:
Wir wünschen Ihnen viel Erfolg für die Zentrale Mittelstufenprüfung.

Wiesbaden im August 1998

Hans-Jürgen Hantschel und Paul Krieger

Inhaltsverzeichnis

Hörverstehen zur Einstimmung

Bestimmen Sie Ihren Lerntyp.

Der Moderator einer Radiosendung führt mit den Studiogästen und mit Ihnen einen Schnelltest zur Lerntypenbestimmung durch. Er nennt Ihnen zehn Begriffe. Nach jedem Begriff macht er eine Sprechpause. Kreuzen Sie sofort an, woran Sie spontan denken, wenn Sie das genannte Wort hören: ein Bild (oder eine Farbe), ein Geräusch (oder einen Ton oder eine Melodie), eine Bewegung (z.B. hin und her laufende Menschen) / einen Geruch oder ein Gefühl (z.B. beim Anfassen von etwas).
Sie können mehrfach ankreuzen.

Begriff	Bild / Farbe 👁	Geräusch 👂	🏃 Bewegung / Gefühl / Geruch 👃
1			
2			
3			
4			
5			
6			
7			
8			
9			
10			

Auflösung:

Die Spalte, in der die meisten Kreuze eingetragen sind, zeigt Ihnen, welcher Lerntyp Sie sind.

Sie haben **Bild/Farbe** am häufigsten angekreuzt?

Dann sind Sie ein *visueller Lerntyp*. Ihnen hilft es beim Lernen, Wörter aufzuschreiben. Wörter, die sich leicht als Bild darstellen lassen, sollten Sie auch als Bild in Ihr Vokabelheft zeichnen. Artikel können Sie sich leichter behalten, wenn Sie sie mit verschiedenen Farben markieren.

Sie haben **Geräusch** am häufigsten angekreuzt?

Dann sind Sie ein *auditiver Lerntyp*. Ihnen hilft es beim Lernen, neuen Wortschatz auf eine Kassette aufzunehmen und sich immer wieder vorzuspielen (bei der Autofahrt, bei der Verrichtung häuslicher Arbeiten). Während des Lernens stört Sie Musik eher, auf gar keinen Fall sollten Sie während des Lernens Radio hören. Aufschreiben brauchen Sie nicht so viel wie die visuellen Lerntypen.

Sie haben **Bewegung/Gefühl/Geruch** am häufigsten angekreuzt?

Dann sind Sie ein *taktiler bzw. haptischer Lerntyp*. Ihnen hilft es beim Lernen, wenn Sie dabei nicht zu lange sitzen bleiben. Gehen Sie ruhig mit Ihrem Vokabelheft in der Hand im Zimmer umher. Eine Kartei hilft Ihnen sehr, denn Sie können die Karteikarten in die Hand nehmen und sortieren.

Sie haben in zwei oder drei Spalten etwa gleich viele Kreuzchen gemacht?

Dann gehören Sie zu den vielen *gemischten Lerntypen*. Probieren Sie einmal die Lerntipps für die einzelnen Lerntypen aus und finden Sie die besten für sich selbst heraus.

Viel Spaß!

Die Mittelstufenprüfung

So funktioniert die Zentrale Mittelstufenprüfung

Die Zentrale Mittelstufenprüfung müssen Sie in der Regel an einem Tag ablegen. Der schriftliche Teil dauert dreieinhalb Stunden. Der mündliche Teil dauert 15 Minuten.

1. Schriftlicher Teil

Dieser besteht aus drei Teilen:

Leseverstehen
(90 Minuten)

Das **Leseverstehen** besteht wiederum aus vier Subtests:

1. Kurztexte zuordnen, z.B. sollen für fünf Personen unter acht Angeboten geeignete Ferienorte gefunden werden.

2. Einen Fachtext lesen und danach entweder in einer Zusammenfassung zehn Lücken ergänzen oder Notizen machen

3. Aus einem Zeitungskommentar die Meinung des Autoren herausfinden und 5 Aufgaben dazu lösen

4. In einem Lückentext werden Ihre Grammatik- und Wortschatzkenntnisse abgefragt.

Hörverstehen
(30 Minuten)

Das **Hörverstehen** besteht aus zwei Teilen:

1. Sie hören einen Dialog. Während des Hörens müssen Sie Notizen machen.

2. Sie hören ein Gespräch. Dazu müssen Sie zehn Aufgaben lösen.

Schriftlicher Ausdruck
(90 Minuten)

Der **Schriftliche Ausdruck** hat auch zwei Teile:

1. Sie schreiben einen Text. Sie können unter drei Themen wählen: Persönlicher Brief, Formeller Brief / Leserbrief oder Referat.

2. Sie wandeln einen informellen Brief in einen formellen um. Dazu erhalten Sie eine Vorlage, in die Sie die Umformungen einfügen.

2. Mündlicher Teil (15 Minuten)

Dieser besteht aus zwei Teilen: 1. einer Bildbeschreibung und 2. einer Diskussion mit dem Prüfer zu einem vorgegebenen Thema. Auf die mündliche Prüfung können Sie sich 15 Minuten lang vorbereiten. Haben Sie keine Angst! Die vorgegebenen Zeiten sind ausreichend lang bemessen, und mit der Routine, die Sie gewinnen, wenn Sie sich anhand unserer Modelltests vorbereiten, fällt Ihnen die Prüfung bestimmt leichter.

Leseverstehen – Erklärungen

90 Min
4 Tests
2.000 Wörter
30 Punkte

Der Prüfungsteil Leseverstehen besteht aus vier Tests, in denen vier verschiedene Texte mit insgesamt etwa 2.000 Wörtern zu bearbeiten sind.

Es wird geprüft, wie gut Sie Texte verstehen, die in Zeitungen und Zeitschriften, in Sachbüchern und Lexika, in Broschüren und Katalogen zu finden sind. Diese Texte sind geschrieben für Leser und Leserinnen, die über eine normale Allgemeinbildung verfügen und deren Muttersprache Deutsch ist.

Die Reihenfolge, in der Sie die vier Subtests bearbeiten, bleibt in der Prüfung Ihnen überlassen. Sie sollten aber die angegebenen Zeiten beachten, denn nach 90 Minuten ist die gesamte Prüfung zu Ende. Sie können 30 Punkte erreichen.

Test 1 – Schnell Informationen entnehmen

10 Min
8 Texte
200 Wörter
5 Punkte

Sie werden aufgefordert für fünf Personen etwas Passendes zu finden, beispielsweise ein Buch. Dazu finden Sie entsprechende Kurztexte, die der jeweiligen Person zuzuordnen sind. Insgesamt gibt es acht solcher Kurztexte von je 50 Wörtern Länge. Hier wird geprüft, ob Sie einem Text schnell und gezielt Informationen entnehmen können. Erschrecken Sie nicht über die Textmenge, zumeist genügt ein Schlüsselwort, eine Überschrift, um richtig zuzuordnen. Folglich haben Sie mit zehn Minuten genügend Zeit. Für jede korrekte Lösung bekommen Sie einen Punkt. Fünf Punkte sind möglich.

Test 2 – Hauptaussagen und Einzelheiten entnehmen

35 Min
1 Text
700 Wörter
10 Punkte

Hier sollen Sie zeigen, dass Sie die Kernaussagen eines Textes von etwa 700 Wörtern erkennen und gezielt entnehmen können. Dieser Text kann ein Zeitschriftenartikel, eine Passage aus einem Sachbuch u. ä. sein.
Zwei verschiedene Aufgabentypen können Ihnen gestellt werden:
1) In einer Textzusammenfassung sind 10 Lücken entsprechend den Informationen des Textes auszufüllen;
2) bei der Aufgabenstellung *Notizen machen* sollen Sie den vorgegebenen Notizen die entsprechenden Informationen aus dem Text zuordnen. Dies klingt schwieriger als es tatsächlich ist. Lösen Sie systematisch Aufgabe um Aufgabe – denn diese sind analog dem Text angeordnet. Sie haben dazu 35 Minuten Zeit. Für jede korrekte Lösung bekommen Sie einen Punkt. Zehn Punkte sind möglich.

Test 3 – Meinungen erkennen

20 Min
1 Text
600 Wörter
5 Punkte

Sie sollen die in schriftlichen Texten enthaltenen Standpunkte und Meinungen der Autoren verstehen, auch wenn diese nur „zwischen den Zeilen" stehen. Sie erhalten hierzu einen Kommentar aus einer Zeitung, eine Buch- oder Filmkritik oder Ähnliches. Fünfmal müssen Sie entscheiden, ob die Autoren sich positiv oder negativ bzw. skeptisch zu einem Punkt äußern. Bedenken Sie: Nicht jedes Wort des Textes müssen Sie verstehen. Gefragt sind vielmehr die kleinen Wörter wie *doch, im Grunde, immerhin* usw. Die geben hier für Sie den Sinn. Der Text hat eine Länge von etwa 600 Wörtern. Sie haben 20 Minuten Zeit. Für jede richtige Lösung gibt es einen Punkt. Fünf Punkte sind insgesamt zu erreichen.

Test 4 – Korrekte Textergänzung

15 Min
1 Lesetext
250 Wörter
10 Punkte

Hier wird geprüft, ob Sie Textzusammenhänge rekonstruieren können. Das heißt, Ihre Grammatikkenntnisse werden hier abgefragt. Das geschieht mit einem Lückentext, in den Sie die richtigen Wörter einsetzen sollen. Sie finden vier Wortvorgaben, aus denen Sie das richtige Wort auswählen müssen. Auf gut Deutsch ist dies also ein Multiplechoicetest. Für diesen Test haben Sie 15 Minuten Zeit. Jede korrekte Lösung wird mit einem Punkt belohnt. Zehn Punkte sind möglich.

Hörverstehen – Erklärungen

30 Min
2 Tests
12 Min Text
30 Punkte

In den Tests zum Hörverstehen werden zwei verschiedene Hörstile geprüft. Diese werden in den Prüfungsvorgaben des Goethe-Instituts *selegierendes* und *detailliertes* Verstehen genannt.

Beim *selegierenden Verstehen* geht es darum, einem Text bestimmte Informationen zu entnehmen. Das heißt, Sie warten darauf, dass Sie im Text etwas ganz Bestimmtes hören. Auf was Sie warten sollen, das wird Ihnen vorher mitgeteilt.

Detailliertes Verstehen bedeutet, Sie sind in der Lage in einem gesprochenen Text Hauptaussagen und Meinungen zu verstehen.

Der Hörtext im ersten Test ist dialogisch und dauert ca. 2 Minuten, der zweite hat längere monologische Passagen und eine Länge von ca. 10 Minuten.

Es wird geprüft, wie gut Sie natürlich gesprochene Sprache in Alltagssituationen oder in den Medien verstehen. Sie hören folglich Informationsgespräche, beispielsweise auf der Bank oder der Post sowie in Radiointerviews.

Für die beiden Tests zum Hörverstehen haben Sie insgesamt etwa 30 Minuten Zeit. Sie können 30 Punkte erreichen.

Test 1 – Schnell Informationen entnehmen

10 Min
1 Dialog
à 2 Min
15 Punkte

Wie schnell können Sie gezielt einem Gespräch Informationen entnehmen? Das wird hier geprüft. Sie hören einen Dialog von ca. zwei Minuten Länge. Vor dem Hören haben Sie Zeit die Aufgaben zu lesen. Sie wissen also, worauf Sie achten sollen. Während des Hörens machen Sie dann stichwortartige Notizen. Alternativ dazu gibt es auch folgende Testaufgaben: Zuordnen, Multiplechoice, Richtig-falsch-Entscheidungen. Achtung! Der Text wird nur einmal im Ganzen gehört. Denken Sie deshalb nicht zu lange über eine Aufgabe nach. Ihre Antworten sollten ohne gravierende, d.h. inhaltlich entstellende Orthografie- und Grammatikfehler sein.

Für jede korrekte Lösung gibt es 1,5 Punkte. Fünfzehn Punkte sind möglich.

Test 2 – Hauptaussagen und Einzelheiten wiedergeben

20 Min
1 Dialog/
Monolog
à 10 Min
15 Punkte

Es wird von Ihnen erwartet, dass Sie in einem gesprochenen Text Hauptaussagen und Meinungen erkennen können. Dieser Text besteht aus einem etwa zehnminütigen Interview aus einer Radiosendung. Sie lösen die Aufgaben nach dem Multiplechoiceverfahren, aber auch Zuordnungen oder Richtig-falsch-Entscheidungen sind möglich. Sie hören den Text zweimal. Vor dem ersten Hören lesen Sie die gestellten Aufgaben, dann hören Sie das Interview ganz. Danach hören Sie den Text ein zweites Mal, nun aber in Abschnitte unterteilt. Vor jedem Textabschnitt lesen Sie nun die dazugehörigen Aufgaben. Dann kreuzen Sie beim Hören die Ihrer Meinung nach korrekte Lösung an. Dieser Test dauert etwa 25 Minuten. Für jede korrekte Lösung gibt es 1,5 Punkte. Insgesamt sind 15 Punkte möglich.

Schriftlicher Ausdruck – Erklärungen

90 Minuten
2 Tests
30 Punkte

Sie sollen zeigen, dass Sie schriftlich über Sachverhalte berichten, Ihre Meinung äußern oder Informationen gegliedert wiedergeben können. Ebenso wird Ihre Fähigkeit zur Umformung eines Textes geprüft.

In den zwei unterschiedlichen Tests sollen Sie nachweisen, dass Sie den schriftlichen Ausdruck beherrschen.

Test 1 – Etwas berichten, Meinung äußern

70 Min
200–250 Wörter
20 Punkte

Wie gut können Sie schriftlich einen Text von etwa 200–250 Wörtern zu einem vorgegebenen Thema verfassen? Das wird hier geprüft. Thema und Textsorte wählen Sie aus drei vorgegebenen Angeboten aus. Grundsätzlich stehen verschiedene Textsorten zur Auswahl, etwa: persönlicher Brief, formeller Brief (z. B. Geschäftsbrief, Bitte um Information, usw.), Leserbrief, Ausarbeitung eines Referats.

Zu jedem Thema erhalten Sie fünf vorgegebene Leitpunkte, die Sie logisch verknüpfen und gliedern sollen. Sie haben etwa 70 Minuten Zeit zur Bearbeitung. Fachkenntnisse werden nicht erwartet, aber halten Sie sich unbedingt an die Vorgaben und vergessen Sie nicht, an wen Sie sich mit Ihrem Text wenden.

Das Prüfungsziel erreichen Sie, wenn Sie sich zusammenhängend und partner- und/oder situationsgerecht schriftlich äußern.

Für inhaltliche Vollständigkeit, Textaufbau, Ausdruck und Grammatik gibt es jeweils bis zu fünf Punkte. Insgesamt können 20 Punkte erreicht werden.

Achtung! Bei der Bewertung wird nicht nur auf korrektes Schreiben geachtet. Wichtig ist ebenso, dass Sie Abschnitte und Sätze logisch miteinander verbinden. (Wenn Sie Satzverknüpfungen noch einmal gesondert üben wollen, schauen Sie ins Übungsbuch von *Mit Erfolg zur Mittelstufenprüfung*.)

Test 2 – Umformung eines Briefes

20 Min
2 Briefe
120 Wörter
10 Punkte

Sie werden schriftlich gelenkt. Das heißt, Sie erhalten zwei Briefe. Einer ist informell, der zweite ist formell und hat 10 Lücken. Diese Lücken sollen Sie entsprechend den Informationen im ersten Brief ausfüllen.

Hier werden Grammatik- und Wortschatzkenntnisse sowie die Fähigkeit zur Umformung von Ihnen verlangt. Hierbei kommt es darauf an, sich mittels eines vorgegebenen Themas und einer spezifischen Ausdrucksweise der Situation entsprechend korrekt zu äußern.

Für jede grammatikalisch und inhaltlich richtige Lösung gibt es einen Punkt. Insgesamt werden 10 Punkte vergeben.

Mündlicher Ausdruck – Erklärungen

15 Min
2 Tests
30 Punkte

In diesem Prüfungsteil sollen Sie zeigen, dass Sie sich in Alltagssituationen flüssig und der Situation entsprechend der deutschen Sprache bedienen können.

Die verschiedenen kommunikativen Ziele sind beispielsweise: referieren, beschreiben, interpretieren, vergleichen, Vorschläge machen, auf Äußerungen des Gesprächspartners eingehen. In zwei insgesamt etwa 15-minütigen Tests werden diese Fähigkeiten überprüft.

Sie erhalten vor der Prüfung 15 Minuten Zeit, um sich mit den Prüfungsmaterialen vertraut zu machen und sich Notizen zu machen. Dazu werden Ihnen drei Vorlagen mit jeweils zwei Fotos sowie drei Vorlagen mit Themen zur Diskussion vorgelegt, von denen je eine auszuwählen ist.

Wörterbücher dürfen nicht verwendet werden. Hier können Sie 30 Punkte erreichen.

Test 1 – Bildbeschreibung, über ein Thema sprechen

7 Min
2 Bilder
15 Punkte

Dieser Prüfungsteil ist monologisch, d. h. hier spricht überwiegend der Prüfungsteilnehmer bzw. die Prüfungsteilnehmerin über ein Thema.

Aus drei Vorlagen mit jeweils zwei Bildern wählen Sie eine aus. Ihre Aufgabe ist es, diese zwei Bilder kurz zu beschreiben und dann ein Thema von allgemeiner Bedeutung zu nennen, das Ihnen dazu einfällt. Sie sollen zeigen, dass Sie in der Lage sind sich strukturiert zu diesem Thema zu äußern. Sie können sich auf die Verhältnisse in Ihrem Heimatland beziehen, Vergleiche ziehen sowie über Ihre persönlichen Erfahrungen sprechen. Bis zu 15 Punkten werden vergeben.

Test 2 – Ein Problem diskutieren und sich einigen

7 Min
Bild/Text
15 Punkte

Ihre Aufgabe ist, in einem Gespräch mit einem der Prüfer (in den folgenden Tests: Partner/Partnerin) ein vorgegebenes Problem zu lösen. Geprüft wird hierbei Ihre Fähigkeit spontan zu sprechen, auf Ihren Gesprächspartner einzugehen und eine Lösung zu finden. Sie sollen Vorschläge machen und diese begründen, aber auch auf Gegenvorschläge reagieren und diese abwägen. Schließlich sollen Sie einen Lösungsvorschlag machen und ihn begründen. Hier können Sie weitere 15 Punkte erlangen.

Leseverstehen 1 – Test 1
Schnell Informationen entnehmen

10 Min	➤ Suchen Sie für fünf Personen eine passende Fernsehsendung aus.
8 Texte	Welche der 8 Sendungen A–H wählen Sie für wen?
200 Wörter	➤ Es gibt jeweils nur eine richtige Lösung.
5 Punkte	➤ Es ist möglich, dass es nicht für jede Person eine passende Sendung gibt.
	Markieren Sie in diesem Fall das Kästchen so: ▬.

Beispiele: Sie suchen eine Fernsehsendung für

Hannes. Er ist ein intellektueller Typ und lacht zu selten. Lösung: ☐F☐

Hanna. Sie mag Esoterik. Lösung: ▬

Sie suchen eine Fernsehsendung für

1 eine Freundin, die Talkshows mag und sich nachmittags langweilt ☐

2 einen Freund, der für Krimis über Leichen geht, d. h. der Krimis liebt ☐

3 Ihren Hausarzt, der Geschichtsreportagen mag ☐

4 einen Freund, dem Claudia Schiffer den Schlaf raubt ☐

5 eine Sechzehnjährige, die nie genug von Michael Jackson bekommen kann. ☐

**23.⁰⁰ Ungarn im Herbst 56 –
Ende einer Legende
REPORTAGE**

Die russischen Truppen schlugen den Aufstand der Ungarn gegen das stalinistische System nieder. Die Reportage lässt Beteiligte zu Wort kommen und zeigt Filmmaterial, das bisher noch nicht veröffentlicht wurde. Auch der eine oder andere angebliche Märtyrer und Volksheld der Ungarn wird dabei entlarvt. **45 Min.**

**22.³⁰ Von Josephine bis Michael
Themenabend: „Make-up"
DOKU**

Der Kulturgeschichte des Schminkens widmen sich nicht allzu viele Filme. Der französische Dokumentarfilm *Von Josephine bis Michael* befasst sich mit Codes, Kults, und Ritualen rund ums Make-up: von den Kriegsbemalungen der Jivaros im brasilianischen Regenwald über Modetollheiten in der Renaissance bis zu den Modegags Michael Jacksons. **30 Min.**

**23.²⁵ Open Air: Rock for Bosnia
Internationale Top-Stars zeigen viel Herz** *BENEFIZKONZERT*
Dieses besondere Konzert fand am 18.8. auf dem Dortmunder Friedensplatz statt: Namhafte Künstler traten zugunsten von „War Child" auf, um kriegsgeschädigten Kindern aus Bosnien zu helfen. Mit dabei: Fury in the Slaughterhouse, Fish (Ex-Marillion-Sänger). **95 Min.**

21.⁰⁰ **Wolffs Revier**
Letzte Folge: Ein wasserdichtes Alibi *KRIMI*

Der Verleger Adler ist ermordet worden. Unter dringendem Tatverdacht stehen die Neffen Jochen und Bernd. Sie sind Erben und lagen mit dem Onkel in Streit. Ein klarer Fall für Wolff, wenn da nicht die Aussage der Sekretärin Frau Schubert wäre. **60 Min**

15.³⁰ **NDR Mittags Show**
Götz lässt die Elefanten
tanzen ... *TALKSHOW*

„Auswendig gelernte Späße sind nicht so meine Baustelle." Götz Alsmann setzt auf anderes: Spontaneität und lockere Unterhaltung. Sogar von den Gästen wird alles abverlangt. Die müssen aus dem Stegreif singen. Der promovierte Musikwissenschaftler unterstützt sie dabei kräftig mit seiner Band. 60 tolle Minuten Spaß und Unterhaltung am Nachmittag. **60 Min.**

20.¹⁵ **Mr. Bean (1) wieder da –**
Rowan Atkinson als
Mr. Bean *COMEDYSERIE*

Da Rowan Atkinson nicht mehr in die Rolle des stummen Tölpels Mr. Bean schlüpfen will, bleiben nur die Wiederholungen. Mit dieser ersten Folge holte Atkinson, den wir zur Zeit auch als Inspector Fowler sehen können, drei Preise in Montreux. **45 Min.**

19.⁰⁰ **Kein Rezept für die Liebe**
„Alles wird anders"
FAMILIENSERIE

Um Lisas Ehe steht es schlecht, seit Wolf Arbeit in der Heide gefunden hat. Lisa will die Apotheke nicht im Stich lassen, um Wolf zu folgen. Und Verehrer Hubertus steht schon bereit, um zu trösten. **65 Min.**

23.⁵⁵ **Willemsens Woche**
u. a. mit Willy Millowitsch und
Claudia Schiffer *TALKSHOW*

Als ewig munterer Lustgreis feiert der 85-jährige Willy Millowitsch zur Zeit einen Riesenerfolg an seinem Kölner Theater. Willemsen befragt auf seine unnachahmliche Art aber auch Claudia: über Liebe, Lust und Leidenschaft. **60 Min.**

13

35 Min   ➤ Setzen Sie die fehlenden Wörter grammatisch korrekt in die Textzusammenfassung rechts ein.

1 Text   ➤ Dazu müssen Sie zuerst den Artikel lesen.

700 Wörter

10 Punkte

Bester Schutz vor Erkältung – Saunieren

Die positiven Auswirkungen auf den Organismus sind viel zu wenig bekannt.

Aus Gründen der Hautpflege und wegen des besseren Aussehens gehen etwa jede dritte Frau und jeder zehnte Mann
5 in Deutschland regelmäßig in die Sauna. Das ergab eine Befragung des Deutschen Sauna-Bundes in Bielefeld unter Saunagästen in Deutschland. Wie wichtig die Wirkung eines Saunabesuchs auf die Haut ist, bestätigen hautärztliche Berichte. Diese erklären darüber hinaus, wie sehr ein regel-
10 mäßiger Saunabesuch zur Vorbeugung gegen Erkältungskrankheiten beiträgt.

Das größte Organ des Menschen ist – das wird allzu leicht vergessen – die Haut. Sie schützt den Körper vor mechanischen, chemischen und thermischen Schäden und verhindert
15 das Eindringen von Krankheitserregern aus der Umwelt. Sie ist ein wichtiger Teil des Abwehrsystems und ebenso mitverantwortlich für die Regulierung der Körpertemperatur. So leistet dieses Organ eine Vielzahl von Aufgaben. Anderthalb bis zwei Meter Fläche Haut setzt ein Erwachsener
20 den Wechselreizen in der Sauna aus.

Sogleich nach Betreten des Saunaraumes zeigen sich die Wirkungen der körperlichen Maßnahmen zur Wärmeabwehr in der Haut. Die Temperatur steigt an, die Blutgefäße erweitern sich, so dass die Hautdurchblutung zunimmt und
25 das Schwitzen beginnt. Und weiter erhöht sich die Hauttemperatur. Nach fünfzehn Minuten Saunaaufenthalt ist diese Hauttemperatur um 10 bis auf 40 oder 42 Grad Celsius gestiegen. Folge dieses erwünschten Anstiegs: ein verbesserter Stoffwechsel.
30 Die Immunologie-Forschung fand heraus, dass dadurch die Aktivität bestimmter Abwehrzellen, die im Organismus für die Reduzierung von Krankheitserregern sorgen, angeregt wird. In der darauffolgenden Abkühlphase des Saunabades verengen sich die in der Saunawärme erweiterten Blutge-
35 fäße durch die Kaltwasseranwendungen wie etwa dem kalten Duschen, dem Gang ins Kaltwasserbecken. Daran anschließend durchgeführte warme Fußbäder öffnen sie wieder schnell. Dieses Gefäßtraining bewirkt die so wichtige Abhärtung des Körpers, es stärkt die Abwehrkräfte und
40 somit die Widerstandskraft gegen Erkältungskrankheiten.

Ebenso kommt es zu verstärkter Neubildung von Hautzellen, was wiederum auf die wärmebedingte Stoffwechselsteigerung zurückzuführen ist. Die gute Versorgung der Haut mit mehr Sauerstoff und mehr Nährstoffen
45 beim Saunabaden scheint auch für die Verlangsamung der Hautalterung zuständig zu sein. Außerdem wirkt sich die gründliche, aber schonende Körperreinigung beim Saunabaden vorteilhaft für die Haut aus. Durch das Schwitzen und die häufigen Wasseranwendungen quillt die oberste
50 Schicht der Haut, die Hornhaut, auf. Die verhornten Hautzellen lockern sich und lassen sich gut abspülen. Sauberer als nach einem Saunabad kann die Haut nicht sein. Infolge der Durchfeuchtung der Hornhaut fühlt sich die Haut straff und glatt an. Was zu einem rosigen, gesunden Aus-
55 sehen und zu einem ausgesprochen guten Hautgefühl führt.

Von all diesen positiven Wirkungen des Saunabesuchs sollten auch Menschen mit Hautproblemen profitieren, wie saunaerfahrene Hautärzte meinen. Die notwendige
60 Tätigkeit der Schweißdrüsen beim Schwitzen sowie die Wassereinlagerungen in der Hornschicht führen zu Besserung bei zu trockener Haut. Diese Wirkung wird noch unterstützt durch das Auftragen einer Fettcreme nach dem Bad. Aber auch wer im Gegensatz zur trockenen Haut un-
65 ter erhöhter Talgbildung leidet, etwa Akne-Patienten, kann mittels Saunabesuch dieses Leiden erheblich verringern: Der in der verhornten Zelle festgehaltene Hauttalg verflüssigt sich in der Saunawärme und fließt mit dem Schweiß ab. Sogar bei Hauterkrankungen wie Psoriasis,
70 endogenes Ekzem oder Neurodermitis wird der Sauna unterstützende Wirkung zugeschrieben.

Wer es sich folglich zur Gewohnheit macht, in die Sauna zu gehen, betreibt somit selbst eine wichtige Gesundheitsvorsorge und schützt sich und damit andere vor
75 Erkältungskrankheiten. Allerdings sollte man dafür Sorge tragen, dass die Saunaräume das typische Saunaklima bieten: hundert Grad an der Raumdecke. Anderfalls kommt es nicht zu der gewünschten Körperaufwärmung in der kurzen Aufenthaltszeit, und all die vorteilhaften Wirkun-
80 gen der Sauna auf die Haut bleiben aus.

Der Zeitungsartikel berichtet von einer Untersuchung, die **0** durchgeführt wurde. Es wird nachgewiesen, dass **1** entscheidend zur Vorbeugung **2** beiträgt. Die Haut ist mit einer **3** betraut. Sie ist mitverantwortlich für die **4** der Körpertemperatur und ist ein wichtiger Teil des Abwehrsystems. Beim Saunieren wird durch die Erhöhung der **5** der Stoffwechsel verbessert. Durch **6** bestimmter Abwehrzellen werden Krankheitserreger **7**. Das Gefäßtraining mit abwechselnd kalten und warmen Wasseranwendungen bewirkt die **8**. Auch die Verlangsamung **9** wird durch die gute Versorgung der Haut mit mehr Sauerstoff bewirkt. Ebenso findet wer unter **10** oder fetter Haut leidet Linderung in der Sauna.

0 *vom Deutschen Saunabund* ....

1 ....

2 ....

3 ....

4 ....

5 ....

6 ....

7 ....

8 ....

9 ....

10 ....

20 Min ➤ Lesen Sie den folgenden Text.
1 Text ➤ Stellen Sie fest, ob sich der Autor des Textes positiv oder negativ/skeptisch
600 Wörter   zu den fünf Fragen äußert.
5 Punkte ➤ Tragen Sie die Lösungen hierzu in die Tabelle ein.

Die Zukunft ist die Stadt?

Immer mehr Menschen vom Land verlassen hoffnungsvoll ihre Dörfer und ziehen in die großen Siedlungsräume. Nach einer Prognose der Vereinten Nationen wird im Jahr 2005 mehr als die Hälfte der Weltbevölkerung in urbanen Zentren
5 leben. Nichts scheint diese Menschen von ihrer Wanderung in die Städte abhalten zu können: Die nach Kapstadt ziehen, schreckt nicht die höchste Mordrate auf der Welt mit 64,7 Morden auf 100.000 Einwohner. Ebenso wenig schreckt die, die es nach Rio zieht, dass der Müll auf den Straßen lie-
10 gen bleibt oder irgendwo kurzerhand auf einer wilden Deponie verbrannt wird – gleich welche Schadstoffe da in die Luft gejagt werden. Nichts hält vom Zug in die großen Ballungszentren ab. Befragt, was sie dort suchen, antworten all diese Menschen das Gleiche: Unsere Zukunft ist die Stadt!
15 So ziehen denn diese Menschen wie die Lemminge in die riesigen Zentren: nach Tokio mit seinen 26 Millionen Einwohnern, nach São Paolo mit 17 Millionen. Nach Mexiko Stadt mit 16 Millionen oder Bombay mit 15 Millionen Einwohnern. Im Gepäck der Suchenden findet sich einzig Hoff-
20 nung. Hoffnung auf ein Leben, das besser als das zuvor gelebte ist. Raus aus der dörflichen Enge. Es gibt nichts mehr auf dem Land: keine Arbeit, keine Nahrung, kein Auskommen. Nur ausgedorrtes Land. Und keiner, der da aufbricht zur Reise in die weite Stadt, wird aufgehalten.
25 Die Zukunft der Menschheit liegt in den Städten. Aber ja, vieles gibt es in diesen Städten, was es so schön, so groß nirgends sonst gibt. Müllberge, die so groß sind, dass man vier Stunden darauf und darin herumwandern kann. Was lässt sich da nicht alles finden, was das Leben so angenehm, so
30 städtisch macht. Die Kaffeemaschine, die noch funktioniert, der Kühlschrank, in dem man all das, was man hat, so gut verstauen kann.
Wen stört also angesichts dieses Reichtums, der doch so schnell erworben werden kann, dass bei diesem rasanten
35 Wachstum die Luft extrem verpestet wird. 1,1 Milliarden Stadtbewohner sind davon betroffen, bei einer Reduzierung der Schadstoffemissionen ließen sich nach Schätzung der Weltbank jedes Jahr bis zu 700.000 Todesfälle verhindern. 250 Millionen Stadtbewohner haben kein sauberes Trink-
40 wasser, zehn Millionen, davon alleine vier Millionen Kinder, sterben jährlich an den Folgen von verseuchtem Trinkwasser. 20 bis 30 Prozent der Stadtbewohner in den Entwicklungsländern haben täglich einen, jawohl einen, Eimer Trinkwasser zur Verfügung.
45 Aber nicht nur an Wasser fehlt es. Der Moloch Stadt wächst und wächst, unkontrolliert und gefräßig. Da bleibt keine Zeit eine Infrastruktur aufzubauen. Doch eines ist heute schon sicher: Irgendwann morgen fehlt es an Strom, irgendwann morgen werden die Menschen in diesen Städten
50 selbst auf den Müllkippen nichts mehr zum Essen finden. Was dann?
Die Zukunft der Menschheit liegt in den Städten. Hurra! Hand aufs Herz, was halten Sie von unserer Zukunft in den Städten? Möchten Sie gern in Lagos leben? Oder Rio?
55 Oder ... ? Mit Blick aufs blaugeölte Meer? Ihre Wohnung ist wunderschön und obendrein schwer bewacht. Da kommt niemand rein, der Ihnen Böses antun will. Aus dem Haus gehen Sie selten, für Nahrungsmittel und Dinge des täglichen Bedarfs haben Sie Ihren zuverlässigen Zustell-
60 dienst.
Anfang nächster Woche treffen sich endlich Verantwortliche aus 185 Ländern, um unter dem Motto „Angemessene Unterkunft" für alle über Lösungen für die Zukunft der Städte nachzudenken. Drücken wir Ihnen die Daumen,
65 dass sie genügend Weitsicht entwickeln und nicht kleinstädtisch, kleinkrämerisch nur nach dem eigenen Vorteil schielen, wenn es um Verteilung von Forschungs- und Entwicklungsgeldern der Vereinten Nationen geht. Und hoffen wir ebenso, dass die Zahl dieser pflichtbewussten Regie-
70 rungsvertreter, der umweltbewussten Experten, denen die Angst vor dem Kollaps der Metropolen, vor den drohenden sozialen Unruhen in den Städten heute schon den Schlaf raubt, ständig größer wird. Nur sie haben die Macht, den Zug der Lemminge in andere Bahnen zu lenken. Noch ist
75 es dazu nicht zu spät, viel Zeit zum Diskutieren von Lösungen hingegen bleibt nicht.

von Paul Krieger

16

Wie beurteilt der Autor im ersten Abschnitt das Leben in einer Großstadt?

Lösung:

negativ/skeptisch
X

Wie beurteilt der Autor

1 die Situation der Bevölkerung auf dem Land?

2 die bisherigen Maßnahmen gegen die Luftverschmutzung?

3 das Wachstum der Städte?

4 das Treffen der Verantwortlichen nächste Woche?

5 die Chancen die Situation in den Städten zum Positiven zu verändern?

Frage	positiv	negativ/skeptisch
0		X
1		
2		
3		
4		
5		

Leseverstehen 1 – Test 4
Korrekte Textergänzung

15 Min   ➤ Lesen Sie den Text und wählen Sie bei den
1 Text   Aufgaben 1–10 das Wort (A, B, C, D), das in die Lücke passt.
250 Wörter ➤ Es gibt jeweils nur eine richtige Lösung.
10 Punkte

Kleinwagen bieten weniger Schutz
DEUC-Bilanz nach „Crashtests"

Berlin (phw). *0* ▨▨▨ Unfällen bieten Kleinwagen den Fahrern und Beifahrern oft nicht genügend Schutz. Zu diesem Ergebnis kommt der Deutsche Verbraucherverband (DEUC) nach „Crashtests" mit gängigen Kleinwagen-Modellen wie Fiat Punto, Ford
5 Fiesta/Mazda 121, Nissan Micra, Opel Corsa, Renault Clio, Rover 100, VW Polo und Peugeot 106. Die Testprogramme, deren Ergebnisse am Dienstag in Berlin *1* ▨▨▨ wurden, waren auf Initiative des deutschen Verkehrsministerium hin von den verschiedenen nationalen Verbraucherorganisationen der EU in Auf-
10 trag gegeben worden.
Besonders kritisiert wurde die *2* ▨▨▨ bei Nissan Micra, Rover 100 und Peugeot 106. Bei diesen Typen besteht für den Fahrer bei frontalen oder seitlichen Zusammenstößen ein erhöhtes Risiko *3* ▨▨▨ Unterleibsverletzungen. Die Gefahr von Ver-
15 letzungen im Brustbereich ist wiederum im Renault Clio, Rover 100 und VW Polo besonders gegeben. *4* ▨▨▨ bei den Modellen Fiat Punto, Ford Fiesta/Mazda 121 und Opel Corsa ergaben die Tests ein zufrieden stellendes Ergebnis.
Ford Fiesta/Mazda 121 und der VW Polo bieten von allen ge-
20 testeten Fahrzeugtypen den besten Schutz bei Frontalzusammenstößen, *5* ▨▨▨ Fahrer und Beifahrer im Rover 100 hier wenig geschützt sind. Bei diesem Auto wurde in den Tests der Kopf des Fahrers nicht *6* ▨▨▨ den Airbag aufgefangen, sondern gegen den Türholm geschleudert. Ein mangelnder
25 Schutz der Beine wurde bei fast allen getesteten Wagen bemängelt.
Festgestellt wurde auch, dass *7* ▨▨▨ der untersuchten Autos so konstruiert ist, dass bei einem Unfall die Verletzungsgefahr von Fußgängern verringert würde. Einzig beim Opel Corsa erkannten
30 die Verbraucherverbände gewisse Anstrengungen seitens des Automobilbauers Kopfverletzungen für Fußgänger zu reduzieren. Das wurde besonders vom DEUC kritisiert, denn die Zahl der Toten im Straßenverkehr könnte um sieben Prozent und *8* ▨▨▨ der Schwerverletzten um 21 Prozent verringert werden,
35 *9* ▨▨▨ alle Autos in den Tests zum Schutz der Fußgänger erfolgreich abschneiden würden. DEUC-Vorsitzender Thomas Schmücking forderte deshalb alle Autohersteller auf weniger aggressive Frontpartien *10* ▨▨▨ .

Beispiel: 0
A) In
~~B) Bei~~
C) Für
D) Auf

1
A) getestet
B) testen
C) testeten
D) testete

2
A) Stärke
B) Größe
C) Sicherheit
D) Schnelligkeit

3
A) lebensgefährlich
B) lebensgefährlicher
C) lebensgefährliche
D) lebensgefährlichen

4
A) Überhaupt
B) Hingegen
C) Stattdessen
D) Nur

5
A) aber
B) dennoch
C) wogegen
D) dagegen

6
A) durch
B) in
C) wegen
D) für

7
A) alle
B) keines
C) wenig
D) manchem

8
A) der
B) die
C) das
D) den

9
A) damit
B) wenn
C) indem
D) da

10
A) konstruieren
B) herstellen
C) zu bauen
D) entwirft

10 Min	➤ Bitte lesen Sie zunächst die Aufgaben.
1 Dialog	Hören Sie dann das Gespräch in einem Verkaufsladen der
à 2 Min	Telekom **einmal**.
15 Punkte	➤ Lösen Sie bereits während des Hörens die Aufgaben.
	Notieren Sie Stichworte.

0
Wunsch des Kunden: . . . . *Telefonanschluss* . . . .

Notwendigkeit dafür: . . . . *Antrag ausfüllen* . . . .

1 Wartezeit bis zum Anschluss: . . . .

2 Möglichkeiten bei ISDN: . . . .

3 Höhe des Sockelbetrags: . . . .

4 Kosten der Anschlussübernahme: . . . .

5 neue Rufnummer des Kunden: . . . .

6 Zusammensetzung der Telefonrechnung: . . . .

7 Freieinheiten: . . . .

8 Anzahl der Tarifzeiten: . . . .

9 Reduzierung bei Überseegesprächen: . . . .

10 Broschüre für: . . . .

25 Min
1 Gespräch
à 10 Min
15 Punkte

➤ Sie hören eine Radiosendung. Eine Moderatorin spricht mit zwei Gästen über das neue Schuldnergesetz. Zu diesem Text sollen Sie zehn Aufgaben lösen.

➤ Lesen Sie zuerst die Fragen 1–10 und das Beispiel.

➤ Hören Sie dann den Text zunächst einmal ganz.

➤ Hören Sie ihn anschließend noch einmal in Abschnitten – ein Ton zeigt Ihnen an, wann ein neuer Abschnitt beginnt.

➤ Bevor Sie einen Abschnitt hören, lesen Sie sich die dazu gehörenden Fragen durch.

➤ Beantworten Sie die Fragen während oder nach dem Hören.

Beispiel:

➤ Lesen Sie die Frage 0.
➤ Hören Sie anschließend den dazugehörigen 1. Abschnitt.

 Was wird über Kredite gesagt?

A) Kreditnehmer nehmen gern Kredite auf
B) Kreditgeber geben nicht gern Kreditgelder
☒ Die Kreditwirtschaft muss Kredite verkaufen

➤ Schauen Sie sich jetzt die Fragen 1–3 an. Sie haben 2 Minuten Zeit.
➤ Hören Sie anschließend den dazugehörigen 2. Abschnitt und kreuzen Sie die richtige Lösung an.

 Warum nehmen Familien Kredite auf?

A) Weil sie gern Schulden machen
B) Weil sie sich damit ein Leben leisten wollen, wie sie es sich wünschen
C) Weil Kredite verkauft werden müssen, um den Geldkreislauf aufrechtzuerhalten

2 **Warum ist ein Kreditunfall für Herrn Mann etwas Normales?**

A) Weil es über zwei Millionen Haushalte mit zu vielen Schulden gibt
B) Weil es 400.000 Gerichtsvollzieher und nur etwa 600 Beratungsstellen gibt
C) Weil wir in einer Kreditgesellschaft leben

3 **Was soll sich durch das neue Insolvenzrecht ändern?**

A) Dass einem Schuldner alles, was er besitzt, weggenommen werden kann
B) Dass Unternehmen Konkurs anmelden können
C) Dass Privatleute ein Leben lang für Schulden bezahlen müssen

➤ Lesen Sie jetzt die Fragen 4–7.
➤ Hören Sie dann Abschnitt 3 und kreuzen Sie die richtige Lösung an.
Sie haben wieder 2 Minuten Zeit.

4 **Für wen schafft das Gesetz erheblichen personellen Mehrbedarf?**

A) Für die privaten Haushalte
B) Für die Schuldnerberatungsstellen
C) Für die Landesjustizverwaltungen, Industrie- und Handelskammern, Banken und Kommunen

5 **Was kommt auf die Schuldnerberatungsstellen zu?**

A) Die Beratung im ersten Verfahren
B) Die Beratung im zweiten Verfahren
C) Die Beratung im dritten Verfahren

6 **Was bedeutet: „Der Schuldner muss sich wohl verhalten"?**

A) Er muss alle Kredite zurückbezahlen.
B) Er muss Arbeit suchen.
C) Er muss sich um Arbeit bemühen und alles, was er verdient, dem Treuhänder geben.

7 **Warum wird das Gesetzesmodell von Kreditgebern kritisiert?**

A) Weil man sieben Jahre lang kein Geld hat
B) Weil die Kreditnehmer von ihrer Restschuld befreit werden
C) Weil es nur ein Kompromiss ist

➢ Lesen Sie jetzt die Fragen 8–10.
➢ Hören Sie anschließend den 4. Abschnitt und kreuzen Sie die richtige Lösung an.

8 **Was ist das Ziel des neuen Insolvenzverfahrens?**

A) Man will erreichen, dass das Gericht nicht mehr so oft eingeschaltet werden muss
B) Der Schuldner soll bei der Hand genommen werden
C) Der Schuldner soll mehr Pflichten bekommen

9 **Wer ist am geeignetsten Haushalte durch das neue Verfahren zu begleiten?**

A) Anwälte
B) Schuldnerberatungsstellen
C) Der Gesetzgeber

10 **Warum sollten Kreditgeber, Versandhandel und Versicherungsbranche Geld in einen Pool geben?**

A) Damit die Prüfsysteme für Kredite besser werden
B) Damit Haushalte nicht mehr in rote Zahlen geraten
C) Damit Schuldner qualitativ gut beraten werden können

➢ Übertragen Sie die entsprechenden Buchstaben Ihrer Antworten in die folgende Tabelle:

0	1	2	3	4	5	6	7	8	9	10

Schriftlicher Ausdruck 1 – Test 1

Etwas berichten, Meinung äußern

70 Min
1 Brief/Referat
200–250 Wörter
20 Punkte

➤ Wählen Sie aus den folgenden Themen 1A, 1B, 1C eines aus.
Sie haben dazu fünf Minuten Zeit.
➤ Gehen Sie dann zu der entsprechenden Aufgabe.

1A: Leserbrief

Thema:
Der Kunde als König

Sie sollen auf eine kurze Zeitungsmeldung reagieren und einen Leserbrief schreiben. Sagen Sie Ihre Meinung dazu, ob freundlicher Umgang mit Kunden und guter Service in Geschäften notwendig sind.

1B: Persönlicher Brief

Thema:
Gemeinsame Reise

Ein Freund/eine Freundin und Sie möchten eine gemeinsame Reise unternehmen. Schlagen Sie Reiseziele vor und erörtern Sie Vor- und Nachteile.

1C: Referat

Thema:
Was ist typisch für Ihr Heimatland?
Sie sollen über typische Merkmale Ihres Heimatlandes und seiner Bevölkerung berichten und diese mit Deutschland und den Deutschen vergleichen. Informationen hierzu erhalten Sie in Form eines Schaubildes.

Schriftlicher Ausdruck 1 – Test 1 A

Einen Leserbrief schreiben

Im November stand folgender Text in einer deutschen Zeitung:

Frankfurt am Main. – Kaum hat das Weihnachtsgeschäft begonnen, häufen sich auch schon
5 die Klagen verärgerter Kunden. In vielen Kaufhäusern werde man überhaupt nicht bedient, heißt es, und wenn doch, dann
10 werde man einfach abgefertigt. Unfreundlich und unhöflich, heißt auch das niederschmetternde Ergebnis einer Untersu-
15 chung des Wieso-Instituts über das Verhalten von deutschen Verkäuferinnen und Verkäufern, die im Auftrag eines großen
20 Kaufhauskonzerns erstellt wurde. Im Ausland spricht man gar von der „Servicewüste Deutschland": Von unfreundlichem Personal gescholten
25 statt beraten, muss der frustrierte Kunde seine Großeinkäufe auch noch selbst einpacken und nach
30 Hause tragen ...

➤ Schreiben Sie einen Leserbrief an den *Frankfurter Zeitspiegel* und gehen Sie auf folgende 5 Punkte ein:

• Warum Sie schreiben
• Was Sie von den geschilderten Umständen halten
• Wie die Situation in Ihrem Heimatland ist
• Was Sie darüber denken, warum in Deutschland Verkäuferinnen/Verkäufer manchmal unfreundlich sind
• Schließen Sie Ihren Leserbrief mit einem Vorschlag, was zu tun ist, damit sich der Kunde in Deutschland wieder als König fühlen kann.

➤ **Schreiben Sie etwa 200–250 Wörter.**

Achtung! Achten Sie darauf, dass Sie die Sätze sinnvoll miteinander verbinden.

Ein Freund/eine Freundin schreibt Ihnen folgende Zeilen:

Stuttgart, den 10.5.1998

Liebe .... /Lieber ....,

vielen Dank für deinen netten Brief. Ich habe mich wirklich sehr darüber gefreut. Deinen Vorschlag, in diesem Sommer gemeinsam den Urlaub zu verbringen, finde ich super. In den drei Jahren, die ich jetzt schon in Deutschland wohne, habe ich zwar schon einige Städte und Regionen gesehen, ich war aber noch nie am Bodensee. Dabei habe ich schon so viel Interessantes darüber gehört. Ein Problem könnte das Wetter werden. Wenn du also lieber in die Sonne willst, können wir natürlich auch in den Süden reisen. Oder hast du andere Vorschläge? Du weißt, im Sommer ist es schwierig, Zimmer zu bekommen. Schreib mir also bald, damit wir uns rechtzeitig um alles kümmern können.

Bis dahin wünsche ich dir alles Gute

dein .... /deine ....

> **Schreiben Sie bitte einen Brief an ihren Freund/Ihre Freundin und gehen Sie dabei auf folgende 5 Punkte ein:**
> - Bedanken Sie sich für den Brief und berichten Sie, wie es Ihnen im Moment geht
> - Äußern Sie sich zu den Vorschlägen Ihres Freundes/Ihrer Freundin
> - Machen Sie selbst Vorschläge
> - Sprechen Sie über Vor- und Nachteile der Reiseziele
> - Machen Sie Vorschläge zur Organisation der Reise und schließen Sie mit guten Wünschen an Ihren Freund/Ihre Freundin.

> **Schreiben Sie etwa 200–250 Wörter.**

Achtung! Achten Sie darauf, dass Sie die Sätze sinnvoll miteinander verbinden.

So denkt man im Ausland über Deutschland

Von 100 Befragten antworteten in Prozent wie folgt:

	Trifft zu:
1. Die Deutschen sind freundlich.	25%
2. Die Deutschen mögen gutes Essen.	30%
3. Die Deutschen kleiden sich gut.	20%
4. Deutsche Produkte sind Qualitätsprodukte.	75%
5. Die Deutschen sind zuverlässig.	60%
6. Die Deutschen sind ordentlich.	80%
7. Die Deutschen arbeiten viel.	90%
8. Die Deutschen sind attraktiv.	25%

Quelle: Wochenmagazin 12/1997

➢ **Vergleichen Sie in Ihrem Referat typische Merkmale der Deutschen mit denen Ihrer Landsleute.**

➢ **Arbeiten Sie das Referat schriftlich aus.**

➢ **Gehen Sie dabei auf die folgenden 5 Punkte ein:**

- Beginnen Sie mit der Begrüßung der Zuhörer, stellen Sie sich vor und geben Sie einen Überblick über den Aufbau Ihres Referates

- Welche Informationen über Deutsche entnehmen Sie dem Schaubild?

- Stimmen Sie dem Umfrageergebnis zu oder nicht? Können Sie eigene Erfahrungen schildern?

- Was ist typisch für Ihr Heimatland? Geben Sie ein paar Beispiele und vergleichen Sie die Informationen über Ihre Landsleute und die Schaubildinformation über die Deutschen miteinander

- Schließen Sie mit Ihrer persönlichen Meinung: Gibt es typische Merkmale bei einem bestimmten Volk oder handelt es sich nur um Vorurteile? Begründen Sie Ihre Meinung.

➢ **Schreiben Sie etwa 200–250 Wörter.**

Achtung! Bei der Bewertung Ihres Referates wird nicht nur auf die Korrektheit Ihres Schreibens geachtet. Es ist genauso wichtig, wie Sie Ihre Abschnitte und Sätze miteinander verbinden.

Schriftlicher Ausdruck 1 – Test 2
Umformung eines Briefes

20 Min	➤ Eine ausländische Studentin hat eine deutsche Freundin sowie eine deutsche
2 Briefe	Sprachschule angeschrieben und um Informationen zu Sprachkursen gebeten.
120 Wörter	➤ Füllen Sie die Lücken 1–10 in dem zweiten Brief.
10 Punkte	Greifen Sie dabei auf die Informationen aus dem ersten Brief zurück.
	In jede Lücke gehören ein oder zwei Wörter.

Beispiel: **0** = bedanken uns

Liebe Anna,

herzlichen Dank für deinen Brief. Ich freue mich sehr, dass du jetzt bald hierher nach Freiburg kommen möchtest, um an einem Deutsch-Intensivkurs teilzunehmen.

Vorgestern habe ich für dich alle Informationen besorgt, nach denen du mich gefragt hast. Dein Kurs findet im Breisgau-Institut statt, das ist gleich gegenüber vom Hauptbahnhof. Dein Unterricht findet jeden Vormittag von 8–13 Uhr statt. Am Wochenende kannst du Ausflüge mitmachen, zum Beispiel in den Schwarzwald, der ja direkt vor unserer Haustür ist.

Den Kurs musst du erst bezahlen, wenn du ankommst. Er kostet 1.500 DM.

Schreib mir bitte bald, um wie viel Uhr du hier ankommst, damit ich dich vom Bahnhof abholen kann.

Ich kann es kaum erwarten, dich hier bei mir zu haben, denn wir haben uns doch so viel zu erzählen. Bis bald!

Alles Liebe
deine Vera

Sehr geehrte Frau Szczypiorski,

wir **0** *bedanken uns* für Ihre Anfrage vom 15.3.98. **1** _____ unserer Sprachkurse in Deutsch als Fremdsprache können wir Ihnen folgende Informationen geben:

Das Breisgau-Institut **2** _____ gegenüber dem Hauptbahnhof. **3** _____ werden in der Regel von montags bis freitags von 8–13 Uhr **4** _____ . Am Wochenende bieten wir unseren Schülerinnen und Schülern ein Ausflugsprogramm an, **5** _____ Sie fakultativ **6** _____ können. Die **7** _____ in Höhe von 1.500 DM für 4 Wochen können Sie bei **8** _____ im Institut entrichten.
Da Sie die Unterbringung in einer deutschen Gastfamilie gewählt haben, möchten wir Sie bitten Ihre genaue Ankunftszeit **9** _____ , damit Sie am Bahnhof von der Familie **10** _____ können.
Für weitere Fragen stehen wir Ihnen jederzeit zur Verfügung.

Mit freundlichen Grüßen
Ursula Meier

Mündlicher Ausdruck 1 – Test 1

Bildbeschreibung, über ein Thema sprechen

7 Min
2 Bilder
15 Punkte

➢ Sprechen Sie bitte so ausführlich wie möglich über die beiden Fotos.
➢ Sie sollen etwa 7 Minuten sprechen.

- Beschreiben Sie zuerst die Dinge und Personen sowie das Geschehen auf den Fotos, eine ausführliche Bildbeschreibung ist nicht nötig

- Finden Sie dann ein gemeinsames Thema für beide Fotos und formulieren Sie dazu eine Frage von allgemeinem Belang und/oder

- Vergleichen Sie die dargestellten Situationen mit den Verhältnissen in Ihrem Heimatland und/oder

- Berichten Sie von persönlichen Erfahrungen.

7 Min
5 Texte
15 Punkte

➤ Sie sollen für eine Delegation von Tourismusmanagern aus Ihrem Heimatland eine passende Unterkunft finden. Die Delegation wird aus insgesamt 10 Personen bestehen, die sich Hotelerie und Gastronomie in der Gegend am Bodensee ansehen möchten.

➤ Diskutieren Sie mit einem Partner/einer Partnerin, welche Unterkunft sich dafür am besten eignet.

- Machen Sie Vorschläge
- Begründen Sie Ihre Vorschläge
- Gehen Sie auf die Äußerungen Ihres Partners/Ihrer Partnerin ein
- Zuletzt einigen Sie sich mit ihm/mit ihr auf einen Vorschlag.

➤ Diskutieren Sie etwa 7 Minuten.

Schloss Rheinburg
– Jugendherberge –

Internationale Atmosphäre, preiswerte Verpflegung. Zimmer mit jeweils 12 Betten und eigenem Duschraum. Busverbindung nach Überlingen (ca. 5 km).

Weinhof „Bacchus"
Meersburg am Bodensee
– Ferienwohnungen –

Lage: inmitten von Obst- und Weinkulturen am Bodensee, nach Meersburg 2 km, idealer Ort für Ruhe und Erholung, Ausgangspunkt für Wanderungen durch Wälder und Felder. 12 Ferienwohnungen für jeweils bis zu 4 Personen, modern ausgestattet mit Küche, Bad, Balkon. Im Gasthof Weine aus eigenem Anbau.

Hotel „Zentral" *****
Konstanz/Bodensee

Äußerst verkehrsgünstige Lage (Stadtzentrum, Nähe Rathaus). Alle Zimmer (45 Einzel- und 74 Doppelzimmer, Beistellbetten auf Wunsch) mit geräumigem Bad, modernster Einrichtung, schallisolierten Fenstern und Klimaanlage, Fernsehen mit Satellitenempfang und Kabelanschluss. 2 Spezialitätenrestaurants, Dachterassenschwimmbad und Fitnessstudio.

Pension „Regina"
Meersburg

Ruhig gelegene Privatpension mit 6 geschmackvoll eingerichteten Doppelzimmern mit Etagendusche und -WC. Eigener Badestrand. Zum Ortszentrum mit Restaurants und Geschäften ca. 2,5 km.

Gasthof „Zum goldenen Ochsen" ***
Meersburg/Bodensee

Traditionsreicher Gasthof, seit über 200 Jahren im Familienbesitz. Alle 22 Zimmer renoviert, mit Dusche und WC. Traditionelle, teils antike Inneneinrichtung, Restaurant. Mit eigener Metzgerei, (Spezialitäten aus dem Bodenseeraum). Lage: am Ortseingang (5 Fußminuten zum Zentrum), direkt am See.

Lösungen und Kommentare – Prüfung 1

Leseverstehen 1 – Test 1

1 E *Schlüsselwörter: Mittags-Show, Talkshow, 15.30 Uhr.*
Kommentar: falsch wäre: 1 G. Zwar ist das Schlüsselwort *Talkshow* vorhanden, aber Sie müssen natürlich gegenprüfen, hier die Zeitangabe überprüfen. Und da finden Sie: 23.55 Uhr. Für Sie heißt es darum in diesen Tests: nicht zu voreilig Schlüsse ziehen.

2 D *Schlüsselwörter: Revier, Alibi, Krimi, ermordet, etc.*
Kommentar: Hier gibt es eindeutige Schlüsselwörter und keine falschen Spuren, d. h. eine andere Krimisendung. Fragen Sie Ihren Freund, wann er wusste, wer der Täter war.

3 A *Schlüsselwörter: Ungarn, Herbst 56, Legende, Reportage, etc.*
Kommentar: Es gibt nur eine Reportage, die in die Vergangenheit führt. Für Sie somit ein Grund, schnell sicher zu sein. Ihr Arzt wird Ihnen den Tipp sicher danken. Vielleicht sind für Sie nun lange Wartezeiten als Kassenpatient in seiner Praxis vorbei.

4 G *Schlüsselwörter: Claudia, Liebe*
Kommentar: Eine ganz eindeutige Sache. Hier können Sie schnell die zwei (4+G) zusammenführen. Ob Ihr Freund nach der Sendung Claudia näher gekommen ist, muss allerdings bezweifelt werden.

5 B *Schlüsselwörter: Michael, Modegags Michael Jacksons.*
Kommentar: Die Information versteckt sich ein bisschen hinter Josephine und der Mode. Vergessen Sie deshalb die Sechzehnjährige und Michael und gewöhnen Sie sich einfach an eine Aufgabe ganz bis zum Ende zu lesen.

Leseverstehen 1 – Test 2

Der Zeitungsartikel berichtet von einer Untersuchung, die (0) **vom Deutschen Saunabund** durchgeführt wurde. Es wird nachgewiesen, dass (1) **regelmäßiger Saunabesuch** entscheidend zur Vorbeugung (2) **gegen Erkältungskrankheiten** beiträgt. Die Haut ist mit einer (3) **Vielzahl von Aufgaben** betraut. Sie ist mitverantwortlich für die (4) **Regulierung** der Körpertemperatur und ist ein wichtiger Teil des Abwehrsystems. Beim Saunieren wird durch die Erhöhung der (5) **Hauttemperatur** der Stoffwechsel verbessert. Durch (6) **die Aktivität** bestimmter Abwehrzellen werden Krankheitserreger (7) **reduziert**. Das Gefäßtraining mit abwechselnd kalten und warmen Wasseranwendungen bewirkt die (8) **Abhärtung des Körpers**. Auch die Verlangsamung (9) **der Hautalterung** wird durch die gute Versorgung der Haut mit mehr Sauerstoff bewirkt. Ebenso findet wer unter (10) **trockener** oder fetter Haut leidet Linderung in der Sauna.

Kommentar
Sie sollten in der Zusammenfassung die fehlenden Wörter einsetzen. Jede richtige Lösung wird mit einem Punkt bewertet. Die Lösungen werden aber nur ohne inhaltlich entstellende Orthografie- oder Grammatikfehler als richtig akzeptiert. Das heißt, kleinere Rechtschreibfehler oder Ungenauigkeiten dürfen Ihnen schon unterlaufen.
Das eine oder andere Stichwort lautet ein wenig anders bei Ihnen? Solange Ihre Version den Sinn nicht entstellt, wird sie als richtig gewertet. Hierzu folgende Beispiele:
1) Richtig: regelmäßiger Saunabesuch.
Möglich wäre auch: regelmäßiger Besuch in der Sauna – der regelmäßige Saunabesuch – regelmäßige Sauna.
Falsch aber ist: mäßig Sauna – Regelsauna – Reglersauna – Besuch in Sauna usw.
4) richtig: Regulierung. Möglich wäre auch: Regulation.
Falsch dagegen: (das) Regeln.
Tipp: Oft wird sich im Text die Formulierung schon in einer Form zeigen, die derjenigen, die Sie brauchen, ähnlich ist.

Leseverstehen 1 – Test 3

1   negativ
2   negativ
3   negativ
4   positiv
5   positiv

Kommentar
1   „Es gibt nichts mehr auf dem Land: keine Arbeit, keine Nahrung, kein Auskommen." Die Häufung der Verneinungen zeigt eindeutig die negative Meinung des Autors.

2   „Wen stört, ... , dass die Luft extrem verpestet ist." Hier sind Ironie sowie das Adverb „extrem" ein Beleg dafür, dass der Autor kritisiert. Dazu kommt folgende Aussage im Konjunktiv II: „... bei einer Reduzierung der Schadstoffemissionen ließen sich nach Schätzung der Weltbank jedes Jahr bis zu 700.000 Todesfälle verhindern."

3   Folgende zwei Sätze zeigen in ihrer Wortwahl eindeutig, dass der Autor das bisherige Wachstum der Städte sehr negativ einschätzt: „Aber *nicht nur* an Wasser fehlt es. Der *Moloch* Stadt *wächst und wächst, unkontrolliert* und *gefräßig*."

4   „Anfang nächster Woche treffen sich *endlich* Verantwortliche ... ." Das Wort „endlich" vermittelt hier das Gefühl, dass der Autor erleichtert ist. Das positive Gefühl setzt sich in dieser Aufforderung des Autors an die Leser fort: „Drücken wir ihnen die Daumen ..."

5   Zwar vertritt der Autor auch in diesem Punkt eine skeptische Meinung, wenn er von den Verantwortlichen spricht. Aber er „drückt ihnen die Daumen, dass sie nicht kleinkrämerisch, kleinstädtisch denken und nur nach dem eigenen Vorteil schielen". Eindeutigkeit schafft der Satz am Ende des Textes: „Noch ist es nicht zu spät ..." Die Einschränkung „viel Zeit zum Diskutieren bleibt nicht" mindert die positive Haltung des Autors in diesem Punkt nicht.

Leseverstehen 1 – Test 4

1 A)   getestet
Hier fehlt das Partizip Perfekt zum Passiv, zu erkennen an „wurden", dem Hilfsverb, das immer ein zweites Verb braucht.

2 C)   Sicherheit
Natürlich kann man hier auch Stärke bzw. Größe oder Schnelligkeit einsetzen. Aber macht das Sinn? Denn es wurde ja etwas bemängelt, also kritisiert. Im nachfolgenden Satz wird von erhöhtem Risiko für Verletzungen gesprochen. Aber Stärke und Größe geben beim Autofahren doch mehr Schutz. Sogar Schnelligkeit wird ein Sicherheitsgarant, wenn man an das Überholen denkt.

3 B)   lebensgefährlicher
Eine einfache Übung zur Deklination, wie es scheint. Da aber der Artikel fehlt, fällt es schon schwerer, den Genitiv Plural zu erkennen.

4 D)   Nur
Hier funktioniert „nur" (Partikel) wie ein Konnektor, der Sätze sinnvoll miteinander verbindet.

5 C)   wogegen
Hier wird das Wissen um Konnektoren abgefragt. Im Übungsbuch von *Mit Erfolg zur Mittelstufenprüfung* finden Sie hierzu Übungen.

6 A)   durch
Ohne das Wissen um die richtigen Präpositionen funktioniert es nicht.

7 B)   keines
Mit den unbestimmten Pronomen muss man auch umgehen können.

8 B)   die
„Die" steht hier für: die Zahl. Machen Sie sich immer die Struktur des Satzes klar.

9 B)   wenn
Der Konjunktiv II („könnte", „würden") ist ein Hinweis darauf, dass hier nur ein „wenn" oder ein „falls" fehlen kann.

10 C)   zu bauen
Wortschatz, aber auch Grammatik werden hier abgefragt. Nach „forderte ... auf" kann nur ein Infinitiv mit „zu" stehen.

Darauf kommt es an:

- Im Test 1 nicht nur die Überschriften lesen
- Beim Einsetzen auf grammatikalische Korrektheit achten, deshalb nach dem Einsetzen laut gegenlesen
- In Test 3 wird nicht nach Ihrer persönlichen Meinung gefragt, sondern nach der Meinung des Autors des Artikels.

Hörverstehen 1 – Test 1

(1) Wartezeit bis zum Anschluss: ein bis zwei Wochen
(2) Möglichkeiten bei ISDN: mehrere Gespräche auf einer Leitung
(3) Höhe des Sockelbetrags: 100 DM
(4) Kosten der Anschlussübernahme: 50 DM
(5) neue Rufnummer des Kunden: die des vorherigen Besitzers
(6) Zusammensetzung der Telefonrechnung: Grundgebühr plus Gesprächseinheiten
(7) Freieinheiten: keine
(8) Anzahl der Tarifzeiten: fünf
(9) Reduzierung bei Überseegesprächen: bis zu 27 Prozent
(10) Broschüre für: die verschiedenen Tarife.

Hörverstehen 1 – Test 2

1	2	3	4	5	6	7	8	9	10
B	C	C	C	A	C	B	A	B	C

Kommentar

Dieses Hörverstehen ist nach Ansicht der Autoren das schwierigste in diesem Testbuch. Lassen Sie sich nicht entmutigen, wenn Sie mit dem Ergebnis überhaupt nicht zufrieden sind – freuen Sie sich lieber auf Hörverstehen 2.

Wenn Sie die eine oder andere der Multiplechoicefragen überhaupt nicht gelöst haben, denken Sie daran, alle Möglichkeiten dieser Antwort-Technik zu nutzen. Das heißt konkret: lieber „Lotterie spielen" und einen beliebigen Buchstaben ankreuzen als gar nichts angeben. Das ist kein unseriöser Rat, sondern ernst gemeint. Denken Sie bitte beim nächsten Test daran, denn die Chancen einer Verbesserung Ihres Ergebnisses sind auf jeden Fall größer.

Darauf kommt es an:

- Halten Sie sich unbedingt genau an die Vorgaben
- Konzentrieren Sie sich beim Lesen der Aufgaben, sodass Sie diese möglichst gut verstehen.

Schriftlicher Ausdruck 1 – Test 1

Musterbrief zu Test 1B:

Liebe Judith,

1 herzlichen Dank für deinen Brief, über den ich mich sehr gefreut habe. Im Moment bereite ich mich auf die Mittelstufenprüfung des Goethe-Instituts vor, und mir raucht schon der Kopf vor lauter Deutsch. Konntet ihr euch keine unkompliziertere Sprache ausdenken?

2 Du hast in deinem Brief vorgeschlagen, wir könnten an den Bodensee fahren. Das halte ich für keine schlechte Idee, aber sehen wir da auch oft genug die Sonne? In Deutschland kann es doch genau so oft regnen wie in England.

3 Was hältst du davon, wenn wir an die Côte d'Azur fahren? Dort haben wir Sonne und Wasser und können in den Bergen wandern. Sehenswürdigkeiten und Museen gibt es dort auch genug: das Chagall- und Matissemuseum in Nizza und das berühmte Casino von Monte Carlo. Außerdem werden uns das Essen und der Wein dort mindestens so gut schmecken wie am Bodensee.

4 Sicher: Im Sommer ist es an der Côte d'Azur sehr voll und man kann nicht so sehr Natur und Romantik genießen, auf der anderen Seite gibt es aber das Gebirge, in das sich nur wenige Touristen verirren, und da können wir ganz sicher einige ruhige Tage verbringen.

5 Die Anreise und die Zimmer könnte ich organisieren, denn einige aus unserem Kurs waren schon da und können Adressen geben. Das ist ja oft günstiger als bei Reisebüros, die nur die großen Hotels anbieten.

Schreib mir bald, was du von meinem Vorschlag hältst.

Wie geht es eigentlich an deiner neuen Arbeitsstelle? Ich hoffe, sie gefällt dir und die Arbeit macht dir Spaß. Jedenfalls wünsche ich dir alles Beste, bleib gesund und arbeite nicht zu viel, damit du für den Urlaub fit bleibst. Bis bald!

Viele Grüße

deine *Jennifer*

Kommentar zum Musterbrief 1B

An der seitlichen Nummerierung von 1–5 erkennen Sie, an welcher Stelle in diesem Musterbrief die fünf Punkte behandelt wurden. Die Auslassung auch nur eines Punktes hätte unnötigen Punktabzug verursacht.

Unterstrichen sind alle Wörter und Ausdrücke, die Sätze verbinden. Sie können sehen, dass Satzverknüpfungen nicht nur durch Konjunktionen hergestellt sind, in den Abschnitten 3 und 5 werden auch Fragen zum Satzanschluss verwendet. Die Verbindung der Sätze hat bei der Bewertung Ihres Briefes einen hohen Stellenwert!

Achten Sie auch auf die Grußformeln am Anfang und am Ende des Briefes, die Sie auf keinen Fall vergessen dürfen.

Grammatik- und Wortschatzfehler werden nicht in dem Maße gewichtet, wie Sie es vielleicht glauben: Nur wo sie den Sinn des Satzes völlig entstellen, werden sie als schwere Fehler gewertet.

Darauf kommt es an:

- Textsorte beachten, Formregeln für private und formelle Briefe bzw. Referate einhalten
- Keinen der fünf Punkte, die auf dem Arbeitsblatt vorgegeben sind, auslassen

- Eine der Textsorte angemessene Sprache benutzen
- Gedanken klar gliedern
- Wörter und Ausdrücke verwenden, die Sätze und Abschnitte verbinden.

Formvorlagen zum privaten und formellen Brief sowie zu Referat und Stellungnahme finden Sie im Übungsbuch von *Mit Erfolg zur Mittelstufenprüfung*.

Schriftlicher Ausdruck 1 – Test 2

1. Bezüglich
2. befindet sich/liegt
3. Unsere Kurse
4. durchgeführt/abgehalten
5. an dem
6. teilnehmen
7. Kosten
8. (der) Ankunft
9. mitzuteilen
10. abgeholt werden

Kommentar

Sie sollen zeigen, dass Sie die Formulierungen für formelle Briefe beherrschen. Nur für inhaltlich und grammatikalisch korrekte Antworten gibt es Punkte. Manchmal sind mehrere Antworten möglich. Etwa in 6: Dort kann man statt „teilnehmen" auch „mitmachen" schreiben.
Ganz wichtig ist, dass Sie wirklich grammatikalisch richtig antworten. Lesen Sie deshalb den formellen Brief noch einmal durch, wenn Sie die Lücken ausgefüllt haben.
Tipp: Denken Sie auch daran, dass in formellen Schreiben gerne Nominalisierungen benutzt werden. So wird beispielsweise aus „teilnehmen" das Nomen „die Teilnahme", aus „unterbringen" „die Unterbringung". Übungsmöglichkeiten zu diesen sogenannten Nominalisierungen finden Sie im Übungsbuch von *Mit Erfolg zur Mittelstufenprüfung*.

Darauf kommt es an:

- Die „richtige" Sprache benutzen
- Das Wort, das umgewandelt werden muss, erkennen
- Grammatikalisch korrekt antworten.

Mündlicher Ausdruck 1 – Test 1

Eine mündliche Prüfung könnte wie folgt lauten:

Auf dem ersten Foto, das ich ausgewählt habe, kann man drei Kinder sehen. Sie sind gleich alt, vielleicht sechs Jahre. Sie stehen nebeneinander: zuerst ein Mädchen, dann ein Junge, dann wieder ein Mädchen. Die Mädchen haben halblange braune Haare, der Junge hat blonde Haare. Die Mädchen tragen bunte Kleidchen, der Junge ein gestreiftes Sommerhemd, deshalb denke ich, dass das Bild im Sommer aufgenommen wurde. Die Kinder halten ein großes Spielzeugauto in die Höhe. Das sieht aus wie ein Sportauto und es ist fast so groß wie die Kinder selbst. Eines der Mädchen hält das Heck des Autos, das andere das Vorderteil. Der Junge hält das Lenkrad.

Auf dem zweiten Foto ist die Automontage in einer Fabrik zu sehen. Im Hintergrund kann man die Montagestraße erkennen, auf der die Karosserien ohne Türen transportiert werden. Im Vordergrund steht ein Mann an einem merkwürdigen Apparat. Der Mann sieht nicht wie ein Deutscher aus. Er hat einen dunklen Lockenkopf und einen schwarzen Bart. Er trägt ein helles T-Shirt und eine helle Arbeitshose. Seine Hände halten zwei Griffe, mit denen dirigiert er die ganze Maschine. Die hat, wie ein Krebs, ein PKW-Vorderteil in ihren Zangenarmen. Wahrscheinlich wird der Arbeiter mit dieser Maschine das Vorderteil an eine Karosserie montieren.

Von den zwei Bildern gefällt mir das erste besser. Es spricht meine Fantasie mehr an. Wo sind die Kinder? Was wollen sie mit dem Auto machen? Warum hat der Junge die Hand am Lenkrad?

Aber wenn ich versuche etwas zu sehen, was beide Bilder gemeinsam haben, dann muss ich sofort an die Rolle des Autos in der heutigen Zeit denken. Niemand kann sich mehr ein Leben ohne Autos vorstellen. Selbst Kinder können das nicht. Mit Spielzeugautos werden sie auf ihre zukünftige Rolle als Käufer vorbereitet. Und auch die Industrie ist auf die Produktion von Autos angewiesen. Ich habe gelesen, in Deutschland hat jeder vierte Arbeitsplatz mit dem Auto zu tun. Das heißt, wenn keine Autos produziert würden, wären noch viel mehr Leute arbeitslos. Was bedeutet, es ginge der ganzen Wirtschaft eines Landes noch viel schlechter.

Auf der anderen Seite hat das Auto viele negative Auswirkungen auf unser Leben. Die Belastung der Umwelt durch die giftigen Abgase ist riesengroß und sie wird auch bestimmt nicht weniger durch die Fabrikation von Autos, die die Umwelt weniger belasten, etwa dadurch, dass sie weniger Benzin verbrauchen und die Abgase besser gereinigt werden. Denn es wird immer mehr Autos geben. So wie die Bevölkerung der Welt wächst, so wird auch der Autoverkehr immer weiter wachsen. Deshalb wird die Umweltbelastung nicht abnehmen. Wenn man Glück hat, wird sie gleich bleiben.

Auch darf man nicht vergessen, wieviele Unfälle auf den Straßen passieren. Viele sterben dabei, andere werden schwer verletzt und bleiben für den Rest ihres Lebens im Rollstuhl. Das ist schlimm für die Leute selbst, aber auch für den Staat, der dann ja für die teure Behandlung viele Jahre lang bezahlen muss.

Die Gesellschaft hat da ein großes Problem, denke ich. Und natürlich muss man sich auch Gedanken darum machen, wie man das lösen kann. Denn Menschen müssen ja von A nach B kommen, sei es privat oder für den Beruf. Ebenso müssen Waren transportiert werden. Und das bequemste, das direkteste Verkehrsmittel dafür ist das Auto bzw. der LKW.

Ich komme aus den USA und bei uns ist ein Leben ohne Auto undenkbar. Vor allem auf dem Land. Die Entfernungen sind riesengroß im Vergleich zu hier in Europa. Und öffentliche Verkehrsmittel sind nicht so bequem oder auch billig wie der eigene Wagen. Benzin kostet nicht so viel wie hier. Aber in den Städten sieht es doch anders aus. Da ist der Verkehr viel zu groß. Wenn es dort eine U-Bahn gibt, dann wird die von den Leuten auch lieber benutzt als das eigene Auto, mit dem man garantiert im Stau stecken bleibt. Oder das gestohlen oder beschädigt wird.

Aber trotzdem hat man doch auch noch immer sein eigenes Auto, ein Amerikaner ohne eigenes Auto ist beinahe wie ein Mensch ohne eine eigene Wohnung. Während der Woche wird dann mit dem Bus, der U-Bahn zur Arbeit gefahren, wenn die Arbeitsstelle in der Stadt selbst ist, und am Wochenende wird das eigene Auto benutzt, um zum Angeln zu fahren oder zu Freunden. Oder ins Fitness-Studio. Also in den USA werden auch in fünfzig Jahren Autos gebaut und gekauft werden. Bei uns versucht man das Problem so zu lösen, indem man strenge Gesetze für die Industrie macht, mit denen die Umweltbelastungen eben geringer werden.

Ich persönlich könnte mir ein Leben ganz ohne Auto jedenfalls nicht vorstellen. Ich finde zwar – das gilt mehr für hier in Europa – dass es meistens schneller geht, wenn man die öffentlichen Verkehrsmittel benutzt und man kann auch viel mehr Leute kennen lernen, wenn man mit dem Bus oder der Bahn fährt. Deshalb versuche ich das Auto nur dann zu benutzen, wenn ich es wirklich brauche. Tagsüber kann ich mit dem Bus in die Stadt fahren. Aber wenn ich abends ins Kino will, dann brauche ich schon mein Auto, weil die Busverbindungen am Abend so schlecht sind.

Zusammenfassend möchte ich sagen, mir würde etwas Wichtiges fehlen, wenn ich kein Auto hätte, nämlich, jetzt lachen Sie nicht, ich käme mir vor, als hätte ich keine Beine. Aber so wie ich Sport mache, um meinen Körper zu trainieren, so gehe ich auch gern mal zu Fuß oder nehme den Bus, wenn es mir die Zeit erlaubt.

Kommentar

Der hier wiedergegebene Vortrag fällt mit etwa zehn Minuten länger aus als benötigt. Es genügt bereits, wenn Sie sieben Minuten über Ihr Thema sprechen.
Tipp: Nehmen Sie Ihren eigenen Vortrag mit dem Rekorder auf. Schauen Sie auf die Uhr. Länger als anderthalb Minuten sollten Sie auf keinen Fall die Bilder beschreiben, Sie müssen zügig zum allgemeinen Thema kommen. Hören Sie dann Ihren Vortrag noch einmal.

Darauf kommt es an:

- Beschreibung der Bilder, dabei möglichst nur beschreiben, was auf den Fotos ist, Vermutungen zurückhalten
- Für beide Bilder ist ein gemeinsames Thema zu finden, das Thema sollte eine allgemeingesellschaftliche Problematik umschreiben (z.B.: Einsamkeit, Alt und Jung, Modetrends, Vergänglichkeit der Zeit, Kindererziehung, Ausbildung usw.)
- Es ist zu begründen, warum das ausgewählte Thema und die Bilder zusammenpassen
- Danach ist über das gewählte Thema zu sprechen, dazu gibt es drei Möglichkeiten: eigene Erfahrungen zum Thema, eigene Meinung zur Problematik oder Vergleich der Situation in Deutschland und im Heimatland. Es kann auch über alle drei Punkte geredet werden.
  Unser Tipp: Geben Sie möglichst viele anschauliche Beispiele.
- Benutzen Sie Redemittel (Bilder beschreiben, über ein Problem sprechen, vergleichen, seine Meinung sagen). Geeignete Redemittel finden Sie im Übungsbuch von *Mit Erfolg zur Mittelstufenprüfung*.

Mündlicher Ausdruck 1 – Test 2
Ein mögliches Beispiel

Kandidatin: Ich habe ja schon gesagt, dass ich aus den USA komme. Tourismusmanager aus meinem Heimatland, die Gastronomie und Hotellerie vom Bodensee kennen lernen möchten, würden zuerst ganz großes Interesse daran haben, etwas kennen zu lernen, das viel Tradition hat. Das heißt, sie würden am liebsten in einem Hotel wohnen, das schon sehr alt ist. Und was Gastronomie betrifft, wären sie an einem Essen interessiert, das nicht Fast Food ist, also Hamburger oder Taccos, oder Pizza und Pasta. Sie wären an einem Essen, das typisch für die Region ist, interessiert. Etwas Deutsches vom Bodensee, das sie nicht kennen, also kein Sauerkraut und keine Bratwurst. Deshalb bin ich der Meinung, dass der Gasthof „Zum Goldenen Ochsen" das Richtige für sie wäre. Das Hotel ist schon zweihundert Jahre alt und gehört seitdem einer Familie und es gibt ein Restaurant und eine eigene Metzgerei, was meiner Meinung nach bedeutet, dass das Essen auch traditionell ist.

Auf der anderen Seite wäre natürlich auch das Hotel „Zentral" sehr interessant für sie. Das liegt im Stadtzentrum, es hat alles, es gibt zwei Spezialitätenrestaurants und mit dem Satellitenfernsehen kann man auch die Nachrichten von zu Hause sehen. Hinzu kommt: Es ist recht groß. Wenn man dort wohnt, bekommt man bestimmt sehr gut mit, wie hier so ein Hotel organisiert ist.

Diese beiden Hotels würde ich als Unterkunft als geeignet für die Tourismusmanager ansehen. Nicht so gut dagegen finde ich die Jugendherberge Rheinburg. Die liegt außerhalb, hat Zimmer mit zwölf Betten und jeweils einer Dusche. Also das würde einem amerikanischen Manager – oder einer Managerin – ganz bestimmt nicht gefallen.

Prüfer: Aber das wäre doch romantisch und man könnte abends zusammensitzen bei einem Glas Wein und in aller Ruhe über die Ergebnisse diskutieren, also über all die Hotels, die man tagsüber besucht hat.

Kandidatin: Was die Romantik anbelangt, in diesem Punkt haben Sie sicher Recht, trotzdem würde ich doch denken, dass kein Manager so einfach auf einer Geschäftsreise, die ja auch anstrengend ist, untergebracht sein möchte. Aus einer ähnlichen Überlegung heraus würde ich auch den Weinhof Bacchus als Unterkunft ablehnen. Ich bin überzeugt, dass kein Manager, keine Managerin abends noch selbst kochen will. Außerdem können sie so ja gar nicht die Küche vom Bodensee kennen lernen. Überlegen Sie einmal, diese Manager bleiben ja nicht ewig am Bodensee, die müssen demnach jeden Tag zweimal in einem Restaurant essen, sonst lernen sie die Küche vom Bodensee gar nicht kennen. Also, über diese beiden Unterkünfte brauchen wir meines Erachtens gar nicht weiter zu diskutieren.

Prüfer: Was halten Sie denn von der Pension Regina?

Kandidatin: Auch hier bin ich davon überzeugt, dass das keine geeignete Unterkunft ist. Da gibt es Doppelzimmer und Etagendusche, das ist auch alles recht einfach. Zu einfach, da bin ich sicher. Dazu kommt, dass die Pension außerhalb liegt und kein eigenes Restaurant hat. Nein, es bleiben nur das Hotel Zentral und der Gasthof Zum Goldenen Ochsen.

Prüfer: Gut, Sie haben mich überzeugt. Und für welche Unterkunft entscheiden wir uns nun? Ich glaube, nach der anstrengenden Arbeit, dem Besichtigen und dem ganzen Essen wäre es gar nicht so schlecht, etwas Sport machen zu können. Deshalb denke ich, das Hotel Zentral ist am besten geeignet. Es hat einen Swimmingpool und ein Fitnessstudio und bietet zwei Spezialitätenrestaurants.

Kandidatin: Ja, aber große Hotels haben wir auch in den USA. Die haben doch nichts Persönliches. Ich bin davon überzeugt, dass es den Managern viel besser im Gasthof Zum Goldenen Ochsen gefällt.

Prüfer: Nein, ich finde, das ist zu einfach. Und außerdem ist es bestimmt zu klein, es hat ja nur 22 Zimmer.

Kandidatin: Das muss man natürlich überprüfen. Aber Ihr erstes Argument, dass das Hotel zu einfach ist, das lasse ich nicht gelten. Die Zimmer sind alle renoviert, das heißt, sie sind bestimmt wie neu. Lesen Sie doch, in jedem Zimmer gibt es Dusche und WC. Sauber ist das also bestimmt und auch bequem. Und das Restaurant bietet die Spezialitäten der Küche vom Bodensee. Im Hotel Zentral dagegen gibt es garantiert Spezialitäten aus der ganzen Welt. Französische Küche und chinesische. Also glauben Sie mir, der Gasthof zum Goldenen Ochsen ist die richtige Unterkunft für die Manager. Und dann die Lage! Die ist doch herrlich, direkt am See, und trotzdem sind es nur fünf Minuten bis zum Zentrum. Aber ein ganz wichtiges Argument ist das, was ich bereits ganz am Anfang gesagt hatte. Schauen Sie! Traditionelle, teils antik eingerichtete Zimmer. Wissen Sie, was das für einen Amerikaner bedeutet? Das ist der Wunschtraum für jeden, der nach Europa kommt. Einmal in einem Schloss schlafen, wo es so eine Atmosphäre gibt, die man in Amerika nirgends findet, weil es keine so alten Häuser gibt. Und dieser Gashof ist zwar kein Schloss, aber er hat bestimmt diese Atmosphäre von Schlössern, von Geistern, die wir Amerikaner hier in Europa so lieben.

Prüfer: Das leuchtet mir ein. Was schlagen Sie also vor?

Kandidatin: Ich schlage vor, wir informieren uns, wie groß diese Gruppe von Tourismusmanagern ist und wann der Besuch sein soll. Und wenn die Gruppe nicht so groß ist, es also im Gasthof zum Goldenen Ochsen genügend Zimmer gibt, dann rufen wir dort an und versuchen die Zimmer zu buchen. Und wenn der Gasthof keine Zimmer frei hat für den entsprechenden Zeitraum, dann buchen wir eben im Hotel Zentral. Dort gibt es bestimmt genügend Platz.

Kommentar

Gehen Sie wie folgt vor: Schreiben Sie zuerst stichpunktartig die Vor- und Nachteile der einzelnen Unterkünfte bezogen auf den Zweck der Reise der Tourismusmanager auf. Erläutern Sie dann den Prüfern, welche Unterkünfte Sie geeignet finden, welche nicht. So wird sich ein Gespräch ergeben. Lernen Sie für dieses Gespräch die wichtigen Redemittel zum Ausdrücken Ihrer Meinung, zum Ausdrücken von Ablehnung oder Zustimmung, wie etwa: Ich bin der Meinung, dass ... , das halte ich für falsch, usw.

Darauf kommt es an:

- Die Vorgaben sichten und formulieren
- Die Vorgaben vergleichen, Vor- und Nachteile abwägen
- Sich für eine der Vorgaben entscheiden
- Wenn der Prüfer der gleichen Auffassung ist wie der Kandidat: zusammenfassen und Beispiele suchen, wie die getroffene Entscheidung in die Tat umgesetzt werden kann
- Wenn der Prüfer eine andere Vorgabe favorisiert: ihn von den Vorteilen Ihrer eigenen Entscheidung zu überzeugen versuchen, dann aber einen Kompromiss mit dem Prüfer suchen. Das Ziel besteht nämlich darin, sich zu einigen
- Besonders wichtig: Benutzen Sie Redemittel (Standpunkt vertreten, überzeugen, abwägen, seine Meinung sagen, höflich unterbrechen, Kompromisse finden). Geeignete Redemittel finden Sie im Übungsbuch von *Mit Erfolg zur Mittelstufenprüfung*.

Transkriptionen – Prüfung 1

Hörverstehen zur Einstimmung

Bestimmen Sie Ihren Lerntyp.

Moderator: Guten Tag, meine Damen und Herren, herzlich willkommen zu unserer Sendereihe „Fremdsprachen lernen – aber wie?". Unser heutiges Thema ist: „Besser lernen – mehr behalten".

Wie immer habe ich einige Gäste zu uns ins Studio eingeladen. Ich begrüße vier Damen und Herren, allesamt Spezialisten im Fremdsprachenlernen, die uns von ihren Lernerfahrungen berichten werden: Frau Ohr, Herrn Blick, Frau Tast-Riechen und Herrn Mischke.

Herr Mischke, was soll man denn alles beachten, wenn man besser lernen und – als Resultat – sich mehr behalten möchte?

Herr Mischke: Also, zunächst einmal sollte man wissen, auf welche Weise man am besten lernt, ich meine, zu welcher Gruppe von Lerntypen man zählt.

Moderator: Könnten Sie uns und unseren Zuhörern das ein bisschen näher erläutern?

Herr Mischke: Ja, na klar. Es gibt, grob gesprochen, drei Gruppen von Lerntypen: die visuellen, die auditiven und die taktilen beziehungsweise haptischen Typen. Die visuellen Typen lernen und behalten am besten, wenn sie ein Bild sehen. Das heißt, sie müssen das, was sie behalten wollen, vor sich sehen. Die auditiven Lerntypen lernen und behalten über das Ohr. Das heißt, sie müssen etwas hören von dem, was in ihrem Gedächtnis bleiben soll. Die taktilen oder haptischen Lerntypen brauchen Bewegung zum Lernen, sie müssen etwas sprichwörtlich begreifen, also anfassen oder auch riechen oder schmecken.

Moderator: Ja, das ist ja alles schön und gut. Aber woher weiß ich denn, dass ich visuell oder auditiv oder taktil veranlagt bin?

Herr Mischke: Machen wir doch dazu einen Schnelltest.

Moderator: Prima. Das ist eine gute Idee. Vielleicht möchten unsere Zuhörer zu Hause diesen Test mitmachen?

Herr Mischke: Selbstverständlich. Der Test geht so: Sie lesen uns hier im Studio jetzt ein paar Begriffe von der Liste vor, die ich vorbereitet habe. Wir nehmen einen Stift und kreuzen spontan an, woran wir zuerst denken, wenn wir den Begriff hören.

Moderator: Können Sie uns dazu ein Beispiel geben?

Herr Mischke: Natürlich, ja. Ich nenne Ihnen den Begriff „Wiese". Woran denken Sie zuerst, wenn Sie das Wort „Wiese" hören?

Moderator: Frau Ohr?

Frau Ohr: Wiese, Wiese, da denke ich sofort an das Summen der Bienen und das leise Rauschen des Windes.

Moderator: Herr Blick?

Herr Blick: Ich sehe das Grün des Grases und die bunten Wiesenblumen.

Moderator: Frau Tast-Riechen?

Frau Tast-Riechen: Ich spüre das weiche Gras unter meinen Füßen und wie es sich unter meinen Schritten bewegt.

Moderator: Herr Mischke?

Herr Mischke: Ich sehe das Grün des Grases, aber ich rieche es auch. Gleichzeitig.

Moderator: Tatsächlich. Jede der vier anwesenden Personen assoziiert mit dem Begriff „Wiese" etwas ganz anderes. Also, das ist ja äußerst interessant. – Dann beginnen wir mit dem Test. – Ich hoffe, unsere Zuhörer haben inzwischen alle einen Stift zur Hand und können auch mitmachen.

Nehmen Sie sich den Test zur Hand. Sie hören jetzt zehn Begriffe. Kreuzen Sie spontan in der entsprechenden Spalte an, woran Sie zuerst denken, wenn Sie den genannten Begriff hören. Also: unter Bild, unter Geräusch oder unter Bewegung/Anfühlen/Geruch. Alles klar?

Der erste Begriff ist: Meer. – Der zweite: Markt. – Nummer drei: Krankenhaus – vier: Restaurant – fünf: Wald – sechs: Fabrik – sieben: Hund – acht: Großvater – neun: Wolljacke – zehn: Haarbürste.

So, das war der Schnelltest, sicherlich nur als sehr grobe Einstufung in die verschiedenen Lerntypgruppen zu gebrauchen, aber als Augenöffner, der die Problematik bewusst macht, erst mal hilfreich.

So, dann beginnen wir mit der Auswertung. Herr Blick, möchten Sie anfangen?

Herr Blick: Also, ich habe fast überall unter „Bild" angekreuzt. Das Meer, den Markt, den Wald, die habe ich als Bild vor mir gesehen, das Krankenhaus und das Restaurant auch. Ja. Da habe ich an bestimmte Gebäude gedacht, die ich kenne, die ich früher schon mal gesehen habe. Beim Hund habe ich meinen Hund Fifi gesehen. Und bei Großvater hatte ich das Bild meines vor zwei Jahren verstorbenen Großvaters vor mir. Bei Fabrik habe ich an den vielen Schmutz gedacht, den Fabriken machen können. Ich weiß nicht, vielleicht habe ich das mehr gefühlt oder gerochen als gesehen, die Wolljacke war knallrot, wie die meiner Freundin, und die Haarbürste war schwarz.

Moderator: Vielen Dank, Herr Blick. Frau Ohr, wie sind Ihre Resultate?

Frau Ohr: Ich hab das Rauschen des Meeres gehört und beim Wald das Rauschen der Bäume. Beim Krankenhaus und beim Restaurant habe ich ganz deutlich die typischen Geräusche im Ohr gehabt: so das Klappern der Teller und so weiter. Der Hund hat gebellt, ja und Großvaters Stimme, die ich als Kind so liebte, wenn er mir am Bett Geschichten erzählt hat, die habe ich auch ganz klar mit dem Begriff Großvater assoziiert. Beim Markt habe ich aber zuerst an die Farben gedacht und dann erst das Stimmengewirr gehört, die Haarbürste hat mich an das kratzende Geräusch beim Kämmen erinnert, von dem ich immer eine Gänsehaut bekomme. Dafür dachte ich bei der Wolljacke an ihre weiche Oberfläche.

Moderator: Interessant. Und Frau Tast-Riechen?

Frau Tast-Riechen: Bei Krankenhaus habe ich auch die Bettlaken gefühlt und das Desinfektionsmittel gerochen. Ich dachte aber auch beim Meer an den Geruch des Salzwassers und beim Wald an den Tannenduft. Bei Restaurant habe ich frische Tomaten mit Basilikum gesehen. Beim Markt habe ich die roten Äpfel gesehen, aber gleichzeitig auch gerochen und geschmeckt. Bei Fabrik dachte ich gleich an das Hin und Her der Menschen, die sich dort bewegen, an das Stampfen und sich Drehen der Maschinenteile. Und bei Hund dachte ich an das weiche Fell unter meiner streichelnden Hand, Großvater erinnerte mich an den Zigarrenqualm meines Großvaters. Die Wolljacke war weich und flauschig, die Haarbürste erinnerte mich daran, wie angenehm sich eine Kopfmassage mit meiner Bürste anfühlt.

Moderator: Ja, danke sehr, Frau Tast-Riechen. Herr Mischke, ich habe gesehen, Sie wollten schon gleich zu Anfang etwas sagen.

Herr Mischke: Ja, also, bei mir war das alles total gemischt. Beim Meer und beim Wald habe ich sofort an ein Geräusch gedacht, das Rauschen der Brandung, das Pfeifen des Windes. Beim Markt habe ich die vielen bunten Farben gesehen und auch Hund und Großvater waren für mich Bilder. Ebenso das Restaurant. Aber beim Krankenhaus, da dachte ich daran, wie komisch sich diese steif gestärkten Betttücher anfühlen, und wie sie nach Desinfektionsmittel riechen. Wuah, ähem, bei der Wolljacke dachte ich daran, wie weich sie sich anfühlt, bei der Haarbürste hörte ich dieses kratzende Geräusch beim Kämmen.

Moderator: Danke schön, Herr Mischke. Liebe Zuhörerinnen und Zuhörer, wie sieht Ihr Resultat aus? Wo haben Sie am meisten angekreuzt? – Und wie wertet man das Ganze nun aus? Frau Ohr:

Frau Ohr: Also, wie wir schon gesehen haben, reine Lerntypen gibt es nicht. Ich zum Beispiel habe zwar fast überall zuerst an ein Geräusch gedacht, beim Markt aber habe ich ein Bild vor mir gesehen und die weiche Wolljacke habe ich gefühlt. Wir können aber trotzdem sagen, dass der Test bei mir eine überwiegend auditive Neigung gezeigt hat.
Herr Blick kann wohl als überwiegend visuell gelten, obwohl er bei der Fabrik den schmutzigen Geruch in der Nase hatte.
Frau Tast-Riechen schließlich hat die Tomaten gesehen und das Hin und Her in der Fabrik. Trotzdem verband sie mit der überwiegenden Zahl der Begriffe einen Geruch, eine Bewegung oder sie spürte eine Oberfläche wie das Fell des Hundes, das Weiche der Wolljacke, das angenehme Gefühl der Bürste auf der Haut. Sie ist also überwiegend taktil einzustufen.
Herr Mischke dachte dreimal an ein Geräusch: beim Meer, beim Wald und bei der Bürste. Beim Krankenhaus dachte er an Struktur und Geruch der Bettlaken, viermal jedoch hatte er ein Bild vor Augen: Markt, Hund, Großvater, Restaurant. Deshalb würde ich sagen, auch wenn bei Herrn Mischke offenbar mehrere Lerntypen vermischt sind, ist das Visuelle doch tendenziell vorherrschend.

Herr Blick: Ich finde es wichtig zu wissen – und das sollte unser kleiner Test ja zeigen –, dass jeder Mensch ein anderer Lerntyp ist, dass man also nicht von allen verlangen kann auf die gleiche Art und Weise zu lernen. Fast niemand ist jedoch ein reiner Lerntyp, das heißt: Jeder hat etwas von allen Neigungen. Zum Beispiel Autos auf der Straße, man sieht sie nicht nur, man riecht und hört sie auch. Aber bestimmte Neigungen sind, bei jedem anders, besonders ausgeprägt, und das sollte sich jeder Lerner zu Nutze machen.

Frau Tast-Riechen: Und wenn jemand beim Lernen nicht still sitzen bleiben kann, dann soll er doch dabei umherlaufen oder mit seinem Kugelschreiber spielen, wenn ihm das hilft.

Moderator: Ja, vielen Dank an meine Gäste hier im Studio. Ja, meine Damen und Herren, das waren schon recht interessante Informationen. Doch jetzt bleibt die Frage, was hilft uns diese Information? Können wir uns das Lernen und Behalten erleichtern, wenn wir wissen, zu welchem Typ von Lernern wir gehören? – Herr Blick, welche Konsequenzen haben Sie gezogen?

Herr Blick: Also, mir hilft es ungemein, wenn ich das, was ich lernen soll, als Bild oder Skizze vor mir sehe. Wenn ich etwas im Radio höre oder eine Sprache von Kassetten lerne, mache ich mir dabei kleine Skizzen, gruppiere Wörter oder Ausdrücke um Kreise herum, zeichne Pfeile und Linien zwischen Informationen hin und her. Ich muss mir immer Notizen machen. Die muss ich danach oft gar nicht mehr auswendig lernen, es reicht häufig schon, wenn ich sie als Wort vor mir sehe. Auch Bilder, Zeichnungen oder grafische Darstellungen sind mir eine große Hilfe. Ich klebe mir Haftzettel mit neuen Wörtern ans Telefon, an den Spiegel, an die Kühlschranktür, damit ich sie immer wieder sehen und sie mir auf diese Weise merken kann.

Moderator: Frau Ohr, was hat Ihnen die Erkenntnis gebracht, dass Sie ein auditiver Lerntyp sind?

Frau Ohr: Ja, also mir ist deutlich klar geworden, dass Mitschreiben oder Zeichnen zwar auch mir einiges anschaulicher machen kann. Ich muss aber jedes Wort ausgesprochen hören, sonst prägt es sich mir schlecht ein. Manchmal lese ich mir Wörter laut vor, damit ich sie besser behalten kann. Ich nehme neuen Wortschatz auf Kassette auf und spiele mir die Kassette immer wieder vor, quasi als Hintergrundmusik zum Putzen, Kochen, Spülen oder auch beim Autofahren. Selbst wenn ich gar nicht bewusst zuhöre: Ich kann mich an die neuen Wörter gut erinnern.

Moderator: Trifft das auch auf Sie zu, Frau Tast-Riechen?

Frau Tast-Riechen: Zum Teil schon. Für mich war es das Allerschlimmste, wenn ich zu Hause bei meinen Eltern zum Lernen immer still sitzen musste. So konnte ich nichts lernen. Wenn ich aber mit dem Buch in der Hand auf- und abgehen kann, oder wenn ich bei einem neuen Wort sogar den zugehörigen Gegenstand in die Hand nehmen kann, dann prägt mir das besonders gut ein. Ich liebe auch Karteien, in die ich etwas einsortieren kann, wo ich Kärtchen hin- und herschieben kann. Ich spiele auch gern Wörterdomino oder Wörterquartett. Die Domino- oder Kartenspiele stelle ich mir selbst her, nach meinen eigenen Ideen. Und Mitspieler finde ich im Sprachkurs meistens auch.

Moderator: Herr Mischke, was machen Sie aus all diesen Informationen?

Herr Mischke: Für mich gilt auch, was meine Kolleginnen und Kollegen bereits gesagt haben. Ich mache mir Notizen, die ich in Listen übersichtlich anordne, ich versuche mit neuem Wortschatz zu arbeiten, das heißt: Sätze zu bilden, Gegenteile dazuzuschreiben. Aber es stimmt, was vorhin schon gesagt wurde, es sind doch überwiegend visuelle Hilfen, die ich verwende. Vielleicht sollte ich mal was Neues ausprobieren.

Frau Tast-Riechen: Da haben Sie eben etwas sehr Wahres gesagt, Herr Mischke, man sollte immer mal wieder etwas Neues ausprobieren. Denn gerade darauf kommt es beim Lernen ja an, dass man nicht alles nach dem gleichen Schema versucht und aufsteckt, wenn es mal nicht weitergeht, man sollte wirklich mehr Mut haben sich auf Neues einzulassen.

Frau Ohr: Stimmt, genau, dazu gehört auch sich nicht auf einen Aspekt zu versteifen. Ich habe das früher so gemacht: Da musste ich im Fremdsprachenunterricht einen neuen Text lesen und dann nacherzählen. Das ging bei mir gar nicht. Denn wenn ich ein Wort hatte, das ich nicht kannte, dann ging mir die Klappe runter und ich konnte den Rest des Textes nicht mehr weiter lesen, bis ich genau wusste, was dieses Wort bedeutete. Heute weiß ich, dass ich mir das Lernen damit ungeheuer erschwert habe.

Herr Blick: So habe ich es auch gemacht. Und immer hatte ich das Wörterbuch in der Hand. Bis ich gemerkt habe: Mensch, so kommst du doch nicht weiter, so wirst du nie einen längeren Text in der Fremdsprache verstehen können. Und so auch nie Spaß an der neuen Sprache haben können.

Frau Ohr: Genau. Ich habe mir dann überlegt: In meiner Muttersprache lese ich die Zeitung doch auch weiter, wenn da mal ein Wort steht, das für mich neu ist oder so. Dann leg' ich die Zeitung doch auch nicht weg und wälze Wörterbücher, in denen das neue Wort vielleicht eh nicht drinsteht, weil es ja ganz neu ist.

Herr Blick: Ganz genau. Warum soll man es sich in der fremden Sprache schwerer machen als in seiner eigenen Muttersprache?

Frau Tast-Riechen: Eben. Viele tun das aber, weil sie denken: Die neue Sprache, die ist fremd, da darf ich nichts verpassen, da muss ich jedes Detail verstehen. Damit erschweren sie sich jedoch das Lernen und nehmen sich die Freude an der neuen Sprache weg. Ich glaube, man muss den Mut haben auszulassen, und man muss immer wieder beim Lernen einen neuen Weg ausprobieren.

Moderator: Meine Damen und Herren im Studio, ich danke Ihnen sehr für die vielen hilfreichen Informationen zum Lernen und Behalten, die Sie uns heute hier gegeben haben. Meine Damen und Herren zu Hause, ich bedanke mich auch bei Ihnen für Ihr Interesse und hoffe, dass Sie mit den heute gewonnenen Informationen recht viel anfangen können. Bei Ihrem Lernen und Behalten wünsche ich Ihnen viel Erfolg und ich hoffe Sie bei unserer nächsten Sendung wieder begrüßen zu dürfen. Auf Wiederhören.

Hörverstehen 1 – Test 1

Ein neuer Telefonanschluss

Kunde: Guten Tag.

Angestellte: Guten Tag, was kann ich für Sie tun?

Kunde: Ja, wissen Sie, ich bin umgezogen und möchte nun ein Telefon für die neue Wohnung anmelden. Was muss ich da denn jetzt machen?

Angestellte: Also, das ist ganz einfach. Ich gebe Ihnen jetzt einen Antrag. Den füllen Sie aus und geben ihn mir, und dann kommt jemand bei Ihnen vorbei, um das Telefon anzuschließen.

Kunde: Mhm, das klingt ja ganz einfach. Und wie lange dauert es, bis jemand vorbeikommt?

Angestellte: In der Regel ein bis zwei Wochen. Gibt es denn schon einen Anschluss in der Wohnung?

Kunde: Also, ein Telefon habe ich nicht gesehen. Aber in der Diele da is' so ne Steckdose mit so Schlitzen.

Angestellte: Ja, ja, gut, das ist der Anschluss. Da braucht der Techniker nur freizuschalten. Wollen Sie denn einen ganz normalen Anschluss oder ISDN?

Kunde: ISD was?

Angestellte: ISDN. Kennen Sie sich aus mit technischen Dingen?

Kunde: Nee, nicht die Bohne! Ich kann nicht mal 'ne Lampe aufhängen.

Angestellte: Ja, dann versuche ich mal, Ihnen das so einfach wie möglich zu erklären. Mit ISDN können Sie auf einer Telefonleitung mehrere Gespräche übertragen. Das heißt konkret: Sie können mit Ihrem Freund sprechen und zur gleichen Zeit beispielsweise ein Fax-Gerät benutzen.

Kunde: Aha! Aber das kostet natürlich mehr.

Angestellte: Sie meinen den ISDN-Anschluss?

Kunde: Ja, das heißt, eigentlich meine ich, was kostet mich so ein Telefonanschluss allgemein?

Angestellte: Also für die Bereitstellung wird ein Sockelbetrag berechnet. Das sind 100 Mark. Und wenn Installations- oder Messarbeiten nötig werden, berechnet sich der Preis je nach Aufwand. Aber Sie sagten ja, der Anschluss ist bereits vorhanden. Sie brauchen also nur für die Übernahme des Anschlusses bezahlen. Sie übernehmen dann die Rufnummer Ihres Vorgängers. Das kostet Sie 50 Mark.

Kunde: Und was kommt an monatlichen Gebühren auf mich zu?

Angestellte: Zuerst einmal die Grundgebühr von 24 Mark 60.

Kunde: Das bedeutet, das muss ich jeden Monat bezahlen, gleich wie viel ich telefoniere?

Angestellte: Ja.

Kunde: Und dann kommen die Gesprächseinheiten hinzu?

Angestellte: Richtig. Freieinheiten wie früher gibt es nicht mehr. Und die Tarife haben sich auch verändert.

Kunde: Ja, ja, alles wird teurer.

Angestellte: Nein, eigentlich ist Telefonieren nicht teurer geworden. Wenn Sie die Zeittakte kennen, dann können Sie heute sogar billiger telefonieren. Die Tarifeinheit kostet jetzt 12 statt 23 Pfennig wie früher. Der Zeittakt ist dafür ein wenig kürzer.

Kunde: Also, so richtig habe ich das nicht verstanden, was Sie da eben sagten. Können Sie das noch einmal erklären?

Angestellte: Schauen Sie einmal: Heute gibt es fünf unterschiedliche Tarifzeiten zu unterschiedlichen Preisen. Dazu kommen die neuen Tarifbereiche. Im Inland gibt es jetzt vier. Und mit dem neu dazu gekommenen „Region-200-Bereich" kann die Entfernung zwischen den Gesprächspartnern viel genauer als früher berücksichtigt werden. Und für manche Überseegespräche gibt es sogar eine Reduzierung um 24%, wenn Sie be- wusst den günstigsten Zeittakt wählen. Schauen Sie, hier in dieser Broschüre finden Sie eine ganz genaue Auflistung für die verschiedenen Verbindungen.*

Kunde: Na, das sieht ja recht verwirrend aus. Sie meinen also, ich könnte damit Geld sparen?

Angestellte: Aber ja. Machen Sie sich nur einmal damit vertraut. Dann werden Sie überzeugt sein.

Kunde: Mhm. Und wann sagten Sie, kann ich mit dem Anschluss rechnen?

Angestellte: Ja, wie ich Ihnen schon bereits sagte. Ausfüllen des Antrags …

Hörverstehen 1 – Test 2

Das neue Insolvenzgesetz

Moderatorin: Guten Tag, meine Damen und Herren, ich begrüße Sie zu unserer heutigen Sendung. Das Thema heißt: Leben auf Pump – wenn einem die Schulden über den Kopf wachsen: Wie kann das neue Insolvenzverfahren dabei helfen? Meine Gesprächspartner sind Herr Dr. Ulrich Köstner, Staatssekretär im hessischen Sozialministerium – guten Tag. Und Ulf Mann, Vorsitzender der Bundesarbeitsgemeinschaft Schuldnerberatung. Meine erste Frage an Herrn Mann: Es heißt, wir leben in einer Kreditgesellschaft. Was bedeutet das für den Einzelnen?

Mann: Das bedeutet, dass ein wesentlicher Teil unserer Volkswirtschaft Kredite sind. Kreditnehmer nehmen Kredite auf, die Kreditgeber geben. Beide Seiten haben etwas von diesem Geschäft. Der eine kann etwas kaufen, der andere kann mit seinem Vermögen arbeiten. Schauen Sie, wir haben in Deutschland insgesamt mindestens 4,9 Billionen Mark Anlagevermögen in privater Hand. Und wir haben ungefähr 1,5 Billionen Mark Schulden. Und die Zinsen, die Rendite, die für dieses Anlagevermögen gezahlt werden muss, kommt natürlich auch zu einem großen Teil aus den Kreditzinsen. Ich denke, das muss einfach jedem klar sein: Kredite müssen auch von der Kreditwirtschaft verkauft werden.

Moderatorin: Herr Staatssekretär Köstner, warum lassen sich so denn viele Leute überhaupt auf diesen Kreislauf ein in diesen wirtschaftlich schweren und unsicheren Zeiten? Wer weiß schon, ob er morgen noch eine Arbeit hat.

Köstner: Nun, das ist schnell erklärt. Viele Familien nehmen diese Kredite in Anspruch, um sich damit ein Leben leisten zu können und zu führen, das sie sich wünschen und das doch anscheinend alle anderen sich leisten können und auch führen. Was dann eben manchmal oder besser: immer öfter heutzutage über ihre eigentlichen Möglichkeiten hinausgeht.

Moderatorin: Wenn dann also diese Kredite nicht mehr zurückgezahlt werden können, dann suchen viele dieser Überschuldeten Hilfe bei den Schuldnerberatungsstellen. Herr Mann, wie viele Beratungsstellen gibt es denn und können die diesen Andrang überhaupt bewältigen?

Mann: Nein, natürlich nicht. Wir haben 400.000 Gerichtsvollzieher in Deutschland. Wenn wir ebenso viele Schuldnerberater und -beraterinnen hätten, ließe sich dieser Andrang schon eher bewältigen. Aber das ist reine Utopie. Ich denke, es gibt zwischen 500 und 600 Beratungsstellen, so ganz genau weiß das niemand. Und wir haben in Deutschland mehr als 2 Millionen überschuldete Haushalte – stellen Sie sich das einmal vor! Das sind fast sechs Prozent aller Haushalte. Natürlich, wir leben in einer sogenannten Kreditgesellschaft, und da ist es nur normal, dass es auch Kreditunfälle gibt. Und darum muss unsere reiche Gesellschaft, und ich meine nicht alleine der Staat, mit diesen Kreditunfällen auch umgehen können. Genauso, wie wir das können im Straßenverkehr mit Polizei und Krankenwagen und Abschleppwagen und etc.

Moderatorin: Also, einmal verschuldet gleich immer verschuldet. Das droht allen Schuldnern. Eine rechtskräftig gewordene Forderung verjährt erst nach dreißig Jahren. Solange kann aufgrund des Kreditvertrags alles eingetrieben werden, was der Schuldner besitzt. Unternehmen, Firmen können irgendwann den Konkurs anmelden, aber die Privatleute bleiben auf ihrem Schuldenberg sitzen. Unter Umständen ein Leben lang. Das soll aber jetzt ab 1999 durch das neue Insolvenzrecht anders werden. Herr Staatssekretär, können Sie einmal erklären, was das neue Insolvenzrecht den Privatschuldnern bringt?

Köstner: Aber natürlich. Wenn wir das Gefühl haben, dass die Dynamik des Kreislaufs von Kreditnehmen und Kreditgeben eine Dynamik ist, die nicht mehr zu steuern ist, weil so viele Haushalte sich selbst übernehmen und also Schulden machen, dann ist das neue Insolvenzgesetz natürlich ein recht gutes Mittel gegen diese unkontrollierbare Dynamik, weil dadurch eine Möglichkeit für die Verbraucher geschaffen wird durch einen Konkurs von ihren Schulden loszukommen. Schauen Sie, heute entsteht diese Dynamik des Schuldenmachens natürlich auch deshalb, weil die Betroffen zuerst zu den seriösen Kreditinstituten gehen. Kriegen sie dort nichts mehr, gehen sie zu den weniger seriösen und so weiter. Und jeder gibt ihnen noch etwas, weil er weiß, sein Geld kann er 30 Jahre lang einfordern. Das ist der Grund, warum ein Verbraucherkonkurs, wie es dieses neue Insolvenzrecht, die INSO, vorsieht, der richtige Weg ist, um die Dynamik des Schuldenkreislaufs in den Griff zu bekommen. Klar, dass dabei Landesjustizverwaltungen vor riesigen Problemen stehen, denn so ein Gesetz verursacht ja einen erheblichen personellen Mehrbedarf, ein vielfaches Mehr an Mitarbeitern bei den Landesjustizverwaltungen, bei den Banken, bei den Industrie- und Handelskammern.

Moderatorin: Vielleicht können Sie, Herr Staatssekretär, einmal unseren Hörern, von denen ja die wenigsten Fachleute auf diesem Gebiet sind, genau erklären, was unter diesem Verbraucherkonkurs zu verstehen ist, wie das funktionieren soll.

Köstner: Aber selbstverständlich kann ich das. Dieser Verbraucherkonkurs wird im wesentlichen aus drei Teilen bestehen. Für den, der Kredite nicht mehr zurückzahlen kann, wird es zuerst ein außergerichtliches Verfahren der Schuldenbereinigung geben, was vor den Schuldnerberatungsstellen stattfinden wird. Das muss jeder durchlaufen haben, um ins weitere Verfahren, ins zweite Verfahren zu kommen. Dort muss man dann beweisen, dass man solch einen außergerichtlichen Prozess gemacht hat. Solch ein Attest sollen die Schuldnerberatungsstellen ausstellen, ein Grund, warum sie ausgebaut werden müssen. Und dann kommt man in das dritte Verfahren, das gerichtliche Verfahren. Da wird ein letzter Bereinigungsversuch unternommen. Kann dem die Mehrheit der Gläubiger nicht zustimmen, dann gibt es ein vereinfachtes Insolvenzverfahren mit einem Treuhänder. Das funktioniert so, dass der Betroffene dem Treuhänder alles, was er besitzt, zur Verfügung stellen muss. Er muss sich wohl verhalten. Das bedeutet, er muss sich darum bemühen, Geld zu erlangen. Also etwa eine Arbeit zu finden. Und er muss dieses Geld sieben Jahre lange abliefern. Erst wenn all das geschehen ist, wird er von den restlichen Schulden befreit. So verlangt es das neue Gesetz.

Natürlich ist dieses Modell nicht unumstritten. Die eine Seite sagt, das alles ist uns zu wenig. Die andere Seite sagt, das ist uns alles zu viel, die Leute von ihren Schulden zu befreien, das geht viel zu weit. Aber ich glaube, dass es einen vernünftigen Kompromiss darstellt.

Moderatorin: Herr Mann, wie stehen denn die Schuldnerberatungsstellen dazu? Diese ganze Entschuldungsprozedur verlangt doch eine recht hohe Moral. Die Überschuldeten müssen ja alles, was sie haben, offenlegen. Überfordert das die Überschuldeten nicht?

Mann: Ja, also die haben tatsächlich ziemlich viele Pflichten. Da sind sich auch die Experten einig. Und wenn man die Schuldner nicht an der Hand nimmt, werden sie garantiert an irgendeiner der vielen Fußangeln straucheln. Aber man darf ja nicht vergessen, Ziel dieses Insolvenzverfahrens ist es ja gerade, wie Herr Staatssekretär Köstner eben erklärt hat, dass möglichst die zweite und dritte Phase des Verfahrens, also all das, was mit dem Gericht zu tun hat, gar nicht erst eingeschaltet werden muss. Der Gesetzgeber möchte, dass soviel wie möglich im außergerichtlichen Vorverfahren erledigt wird. Und das heißt, hier kommt eine Menge Arbeit, und zwar eine ganze Menge, auf die Schuldnerberatungsstellen zu. Denn in allen Fachdiskussionen wird immer wieder erklärt, dass im Grunde genommen die Schuldnerberatungsstellen aufgrund ihrer Erfahrung damit besser geeignet sind, die überschuldeten Haushalte durch dieses Verfahren zu begleiten und geleiten als etwa Anwälte. Deshalb muss die Schuldnerberatung unbedingt ausgebaut werden, andernfalls wird das Gesetz nicht greifen. Aber es muss auch gesehen werden, dass die Prüfsysteme im Kreditbereich eigentlich recht gut funktionieren. Die Zahl der Kreditnehmer, die einen Kredit tatsächlich nicht zurückbezahlen können, ist gar nicht so hoch, wie man denken könnte. Die Banken und der Versandhandel haben Ausfallquoten bis maximal zwei Prozent. Meist sind äußere Einflüsse daran schuld, wenn ein Haushalt in die roten Zahlen kommt, an erster Stelle natürlich Arbeitslosigkeit, dann Krankheit. Und wäre es da nicht sinnvoll, eine Solidargemeinschaft zu schaffen? Eine öffentliche Hand, die in diesen Fällen helfen kann? Raten kann? Die sollte bestehen aus staatlichen Institutionen und den Kreditanbietern, den Gläubigern also. Ich denke, diese Anbieterseite, Kreditwirtschaft und natürlich auch der Versandhandel oder die Versicherungen sollten namhafte Beträge zur Verfügung stellen, in einen Pool geben, um damit eine Schuldnerberatung aufzubauen, die das in die Tat umsetzen kann, was der Gesetzgeber sich von der INSO verspricht. Damit ließe sich dann tatsächlich die erforderliche Quantität und Qualität der Beratungsstellen erzielen.

Moderatorin: Ich glaube, die Zeit ist um. Tja, das war 's mal wieder im Forum. Leben auf Pump, wenn einem die Schulden über den Kopf wachsen: Wie kann das neue Insolvenzverfahren da helfen, das war unser Thema. Ich bedanke mich bei Herrn Dr. Ulrich Köstner, Staatssekretär im Hessischen Sozialministerium, und bei Ulf Mann, dem Vorstandsvorsitzenden der Bundesarbeitsgemeinschaft Schuldnerberatung. Durch die Sendung führte Christel Pohl.

Leseverstehen 2 – Test 1

Schnell Informationen entnehmen

10 Min   ➢ Wählen Sie für fünf Personen eine Urlaubsreise aus.
8 Texte   Welche der 8 Reisen wählen Sie für wen?
200 Wörter ➢ Es gibt jeweils nur eine richtige Lösung.
5 Punkte   ➢ Es ist möglich, dass es nicht für jede Person eine passende Reise gibt.
             Markieren Sie in diesem Fall das Kästchen so: ⊟.

Beispiele: Sie suchen eine Urlaubsreise für
eine landliebende Familie mit drei Kindern. Lösung: ☐C
einen Hobby-Bergsteiger, der immer höher hinaus will. Lösung: ⊟

Sie suchen eine Urlaubsreise für

1 ein Ehepaar, das gern Fahrrad fährt und die Natur liebt   ☐
2 eine kultur- und musikbegeisterte ältere Dame   ☐
3 einen Hobbykoch, der Deutsch und Französisch spricht   ☐
4 ein Hochzeitspaar, das eine Kreuzfahrt machen möchte   ☐
5 zwei 20-jährige junge Damen, die gern tanzen, schwimmen und feiern. ☐

Bodensee-Rundfahrt
7-Tage-Busfahrt mit Vollpension

Erleben Sie Deutschlands schönsten See auf einer unvergesslichen Rundreise. Sie fahren im klimatisierten Luxus-Reisebus nach Friedrichshafen und übernachten in einem 5-Sterne-Hotel, in dem es Ihnen an nichts fehlen wird. Per Bus besichtigen Sie Lindau, Bregenz (Möglichkeit zum Besuch der Seefestspiele), Konstanz mit seiner mehr als tausendjährigen Geschichte, die Weinstadt Meersburg und vieles mehr. Uralte Kultur, Tradition und moderner Komfort warten auf Sie.

Hier geht die Post ab!
Club La Bamba – Mallorca

Jeder Tag und jede Nacht sind eine Fiesta für Sie! Spiel, Sport, Tanz von morgens bis abends; nette Leute, tolle Stimmung, gute Laune rund um die Uhr!
Vergessen Sie den Alltag in unserem Club La Bamba: 3-Sterne-Hotel, 3 Diskos, Live-Musik, 2 Swimmingpools mit Poolbars, Fitnesscenter, hoteleigener Strand, Segel- und Surfkurse. Alle Zimmer klimatisiert, zu jeder Mahlzeit großes Buffet.

Bambi und Lassie warten schon: Erholung für Jung und Alt

Auf dem Hochwaldhof, nur 50 km südöstlich von München, bietet sich die ideale Erholung für die ganze Familie. Das frisch renovierte Gästehaus neben dem Bauernhof bietet Ihnen allen Komfort, Ruhe und Erholung, während Ihre Kinder Ponyreiten oder in unserem kleinen Streichelzoo kleine Rehe, Ziegen und Hunde streicheln können. Verkehrsgünstige Lage, vom nur fünf Minuten entfernten Bahnhof halbstündlich nach München oder Rosenheim.

Rendevouz mit Miss Saigon, dem Phantom der Oper und jeder Menge Katzen

3-Tage-Wochenendflugreise nach London zum Besuch der weltbekannten Musicals Miss Saigon, Phantom der Oper und Cats. Sie wohnen in einem typischen viktorianischen Hotel, frisch renoviert und mit allem Komfort, inklusive echtem englischem Frühstück. Tower, Big Ben und Hyde Park erleben Sie während einer Stadtrundfahrt, die Sie auch in die berühmte Tate-Gallery führt.

Französisch geht durch den Magen

In Südfrankreich, in der Nähe von Cannes, lebt es sich nicht nur am besten, hier isst man auch am besten. Lernen Sie in diesem einwöchigen Kochkurs die fantastische südfranzösische Küche kennen und lieben.

Sie wohnen in einem renovierten Landhaus im typisch provencialischen Stil. Unser Koch Pierre führt Sie dort in die hohe Kunst des Kochens und Genießens ein. Klar, dass dabei nur französisch gesprochen wird.

Unter Palmen träumen

An tropischen Stränden, am tiefblauen Meer, in herrlicher Sonne in unserem Inselparadies „Pacific Paradise" finden Sie Ruhe und Entspannung vom hektischen Alltag. Lassen Sie sich in unserem Fünf-Sterne-Hotel (Swimmingpool, Sauna, Bars, Restaurants, Golf, Surfclub) verwöhnen. Genießen Sie das Paradies so, wie es Adam und Eva vor Jahrtausenden verlassen haben.

Bleiben Sie nicht stumm: Französisch in Bordeaux

Lernen Sie Französich im „Centre International" in Bordeaux. Nach einem zweiwöchigen Kurs und 60 Unterrichtsstunden werden Sie Ihre Sprachkenntnisse deutlich verbessert haben. Sie wohnen bei ausgesuchten französischen Familien, wo Sie auch alle Mahlzeiten einnehmen. Lernen Sie Sprache und Leben in Frankreich kennen und lieben.

Ostfriesland auf 2 Rädern

Sie möchten Natur erleben und sich gleichzeitig sportlich betätigen? Sie möchten es nicht weit zum nächsten Strand haben? Sie möchten nette Menschen treffen?

Lernen Sie Ostfriesland mit dem Fahrrad kennen, auf ausgesuchten Fahrradrouten, ohne Stress und Hektik. Zahlreiche Gasthöfe und Pensionen laden Sie zum Verweilen ein.

35 Min
1 Text
700 Wörter
10 Punkte

➤ Lesen Sie den folgenden Zeitungsartikel.
➤ Suchen Sie nun im Text die fehlenden Informationen, die in das Raster passen.

Traum und Wirklichkeit

Warum wir im Schlaf träumen und wie wir Träume für das wirkliche Leben nutzen können

Haben Sie Ihrem Chef schon einmal eine Sahnetorte ins Gesicht geklatscht, ohne dass dies für Sie irgendwelche Folgen gehabt hätte? Oder sind Sie schon einmal durch die Lüfte geschwebt, ohne dass Sie sich in einem Flugzeug
5 befunden hätten? Oder sind Sie auf einem völlig friedlichen Löwen durch Afrika geritten?
Solche oder ähnliche Geschichten hat wohl fast jeder schon einmal im Traum erlebt. Der englische Schriftsteller Graham Greene soll sogar seine Träume bewusst genutzt
10 haben, um Ideen für sein Werk zu bekommen. Von der Antike bis heute haben Künstler bisweilen Träume als Quelle der Inspiration bezeichnet.
Amerikanische und Schweizer Forscher haben sich in jüngster Zeit intensiv damit beschäftigt, wie Träume zustande
15 kommen und was sie bedeuten. In sogenannten Schlaflabors wurden Elektroden an Stirn, Augen- und Mundwinkeln von freiwilligen Versuchspersonen befestigt. Damit konnten Gehirnströme und Muskelbewegungen gemessen und aufgezeichnet werden.
20 Mit diesen Messungen konnten die Forscher nachweisen, dass alle Menschen träumen, sogar mehrere Male pro Nacht. Dieses Ergebnis widerlegt die in Umfragen ermittelte Behauptung von etwa 30 % der Befragten, sie hätten keine Träume. Träume haben alle, nur muss man sich daran er-
25 innern können. Und dies geschieht nur, wenn man während oder unmittelbar nach der Traumphase aufwacht.
Die Traumphasen zeigten sich während der Messungen im Schlaflabor durch schnelle Augenbewegungen. Wurden die Testschläfer während dieser Phase aufgeweckt, konnten sie
30 sehr detailliert über ihre Träume berichten. Diese wurden in eine Traumdatenbank eingetragen, um Aufschluss darüber zu erhalten, was die Menschen träumen.
Die Ergebnisse widerlegen zum Teil die Auffassung des Altmeisters der Psychoanalyse, Sigmund Freud, der Traum
35 stelle im Wesentlichen verdrängte sexuelle Wünsche dar. Auch ist es heute nicht mehr wissenschaftlich haltbar, bestimmten Träumen eine bestimmte Bedeutung oder Symbolik zuzuordnen.
Das, was von Freuds Lehre übrig blieb, ist, wie ein typischer
40 Traum entsteht. Die Ereignisse eines Tages, die für die betreffende Person emotional besonders bedeutsam sind, werden mit Erinnerungsbildern verknüpft und wie in einer rotierenden Lottokugel vermischt. Aus den so entstellten Informationen werden neue Bilder zusammengesetzt.

45 Dadurch werden Ereignisse verarbeitet, oft können geübte Träumer sogar Lösungen für Probleme erkennen.
Der Inhalt des Traums wird insbesondere von der Persönlichkeit des Träumenden und vom Alltag der Person bestimmt. Was die Menschen in Freizeit, Arbeitsleben und
50 Partnerschaft beschäftigt, das sind auch die häufigsten Traumthemen. Häufig werden auch Aggressionen verarbeitet. Träume können zumeist als Selbsthilfe verstanden werden, mit der das Unterbewusstsein des Träumenden versucht Klarheit in ein Gedankenchaos zu bringen.
55 Angst- oder Alpträume werden zumeist durch unverarbeitete starke Emotionen ausgelöst. Dies kann beispielsweise durch den Verlust von Eigentum oder eines Partners, aber auch durch Krieg oder große Angst vor der Zukunft geschehen. Der Alptraum steht hier für den gescheiterten
60 Versuch ein Trauma mit Hilfe des Träumens zu überwinden. Der Versuch des Unterbewusstseins Klarheit zu schaffen führt nicht aus dem Gedankenchaos heraus, sondern führt im Gegenteil immer stärker in das Chaos hinein.
65 Hier haben nun amerikanische Psychotherapeuten angesetzt, um Patienten helfen zu können, die psychische Probleme aufgrund grauenhafter Erlebnisse hatten; beispielsweise Vietnam-Veteranen oder Bosnien-Flüchtlinge. Der Forscher an der Stanford Universität, Stephen LaBerge,
70 fand heraus, dass man mit ein wenig Übung in der Lage ist seine Träume aktiv zu beeinflussen. Tritt z. B. ein Alptraum immer wieder auf, hilft er seinen Patienten den negativen Ausgang des Alptraums positiv umzugestalten. Eine Frau zum Beispiel, die sich in ihren Träumen von
75 einem großen, furchteinflößenden Mann mit bösem Blick verfolgt fühlte, lernte in der Therapie, den Mann im Traum anzusprechen und ihm zu sagen, er solle verschwinden. Und der Mann verschwand wirklich aus ihren Träumen. Doch nicht nur als Therapie versuchen immer mehr Men-
80 schen ihre Träume zu beeinflussen, denn ähnlich wie Künstler ihre Inspiration entnehmen sie ihren Träumen Lebenshilfe, neue Ideen und Tipps zur Alltagsbewältigung. Über bestimmte Konzentrationsübungen sind sie sogar in der Lage Träume herbeizudenken, die sich mit
85 dem gewünschten Thema beschäftigen.
Wie lange wird es noch dauern, bis „Träumkurse" zum Repertoire von Volkshochschulen und Bildungszentren in aller Welt gehören?

0   Nutzen von Träumen für Künstler: ..... *Inspiration* ....

1   Zweck der Elektrodenbefestigung: ....

2   Anzahl der Befragten,
die sich nicht an Träume erinnern: ....

3   Wann erinnert man sich an einen Traum? ....

4   Widerlegte Auffassung Freuds: ....

5   Was passiert mit emotional wichtigen
Ereignissen eines Tages im Traum? ....

6   Bestimmung des Trauminhalts wodurch? ....

7   Häufigste Traumthemen: ....

8   Definition Alptraum: ....

9   Wozu Therapie bei Alpträumen? ....

10   Wie sind Träume zu beeinflussen? ....

20 Min	➤ Lesen Sie den folgenden Kommentar.
1 Text	➤ Entscheiden Sie, ob der Autor sich positiv oder negativ/skeptisch
600 Wörter	zu den fünf Punkten äußert.
5 Punkte	➤ Tragen Sie die Lösungen hierzu in die Tabelle ein.

Heiße Ohren

Ravello ist ein wunderschöner Ort in Italien, hoch über der Amalfi-Küste gelegen. Hier spielt sich neuerdings um die Mittagszeit, wenn die Sonne besonders heiß brennt und sich Touristen und Ortsbewohner auf dem Dorfplatz unter schat-
5 tigen Bäumen auf den Terrassen der Cafés erfrischen, ein höchst sonderbares Schauspiel ab:

Um einige Bistrotische sitzen um die zehn Personen zu-sammen und unterhalten sich, diskutieren und lamentieren lautstark, dabei gestikulieren sie wild mit den Armen und
10 Händen. Was daran so besonders sei, wird mancher Leser, sein Klischee vom ununterbrochen redenden und gestiku-lierenden Italiener im Kopf, vielleicht denken. Schließlich ist es ja seit Menschengedenken nichts Ungewöhnliches, wenn Italiener miteinander diskutieren. Und ihr Reden und
15 Gestikulieren macht sie dabei für uns eher schweigsame Nordlichter doch so sympathisch.

Das Ungewöhnliche, das dem Betrachter hier aufgefallen ist, war nicht die Tatsache, dass hier Menschen kommuni-zierten, sondern wie sie kommunizierten. Denn niemand
20 sprach mit seinen Tischgenossen persönlich, vielmehr hiel-ten alle ihr Handy in der Hand und schwätzten munter in das kleine, acht mal fünfzehn Zentimeter große Ding mit der abstehenden Antenne hinein.

Waren die Tischgenossen etwa nichts anderes als ein zufäl-
25 liger Hintergrund? Oder feuerte man sich vielleicht gegen-seitig an immer mehr und bildhafter in das kleine Ding hin-einzupalavern? Oder kommunizierten die Leute am Tisch miteinander durch das Plastikkästchen? So wie kleine Kin-der mit der Spielkameradin durch ein Spielzeugtelefon
30 erzählen, bis die Ohren heiß werden, fasziniert davon, dass auf der anderen Seite gehört wird, was man hineinspricht? Wieder in Deutschland: Besuch in einem Restaurant. Die Speisen werden gerade aufgetragen, als es in nächster Nach-barschaft plötzlich klingelt. Gibt es hier am Tisch ein Tele-
35 fon? Ein Besucher am Nachbartisch, schlank, gebräunt, im schicken Hemd mit Krawatte, die beide nicht nur für die Herstellerfirma Reklame machen, sondern auch dafür, welchen Preis der Träger für diese Kleidung wohl bezahlt hat, zieht das kleine Plastikding aus der Tasche und beginnt
40 ein Gespräch. Nicht mit seiner hübschen Begleiterin etwa –

die sitzt nun eine Zeit lang gelangweilt und wie verlassen da und stochert in ihrem Shrimpscocktail herum. Nein: In sein Handy spricht der Dandy.

Kurze Zeit später klingelt es in einer anderen Ecke des
45 Restaurants, eine ähnliche Szene spielt sich ab. Und während der Heimfahrt im Bus streitet sich mein Sitz-nachbar gerade durch das Handy mit seiner Frau. Muss er sich denn jetzt vor allen Leuten streiten? Noch dazu mit einer Partnerin, die gar nicht da ist?

50 Eine Revolutionierung in der Kommunikation verspricht die Werbung, die ich kurz darauf in einem Schaufenster für Telekommunikation sah; der Traum, immer und für jeden erreichbar zu sein, werde nun wahr. Und in der Tat: Hat sich mancher unterwegs nicht schon einmal gewünscht gerade
55 nun ein Telefon zur Hand zu haben? Ist es nicht viel per-sönlicher, sein Telefon mit sich zu tragen und erreichbar zu sein, als Abend für Abend den Anrufbeantworter abzu-fragen und danach die lästige Rückruferei zu beginnen? Oder ist es vielleicht eher das Gefühl, eine wichtige Person
60 zu sein, das das Handy vermittelt? Das Gefühl, dass die Welt zusammenbricht, wenn es nicht in der Jackentasche ab und zu klingelt?

Vermittelt ein tutendes, klingelndes Plastikkästchen den Eindruck zu den wenigen Auserwählten zu zählen, die die
65 Welt lenken und in Gang halten? Ein bekannter Händler, der auch Handys verkauft, erzählte mir letztens hinter vor-gehaltener Hand, das Geschäft mit den richtigen Handys liefe gar nicht so gut, gut liefe hingegen das Geschäft mit Handyattrappen.

70 Ist das die Revolutionierung der Kommunikation, wenn das miteinander Reden durch das So-tun-als-ob-man-re-den-Würde ersetzt wird?

Ich jedenfalls habe mir immer noch kein Handy ange-schafft. Klar, dass mich jeder und jede anrufen kann, wann
75 er oder sie will; ich werde erreichbar sein, so oft es geht und so oft ich das will. Aber eben nicht immer. Manchmal will ich auch einfach meine Ruhe haben! Und das finde ich ganz legitim.

von Hans-Jürgen Hantschel

Beispiel: **0**
Wie beurteilt Hans-Jürgen Hantschel die „ungewöhnliche" Kommunikation der Dorfbewohner durch Handys?
Lösung:

negativ/skeptisch
X

Wie beurteilt der Autor

1.   das Reden und Gestikulieren der Italiener?

2.   das Verhalten des gut gekleideten Herrn im Restaurant gegenüber seiner Begleiterin?

3.   die Kommunikation per Handy?

4.   den Traum immer erreichbar zu sein?

5.   das Bedürfnis vor anderen Menschen manchmal Ruhe haben zu wollen?

Frage	positiv	negativ/skeptisch
0		X
1		
2		
3		
4		
5		

Leseverstehen 2 – Test 4
Korrekte Textergänzung

15 Min
1 Text
250 Wörter
10 Punkte

➤ Lesen Sie den Text. Wählen Sie bei den Aufgaben 1–10 das Wort (A, B, C, D), das in die Lücke passt.
➤ Es gibt jeweils nur eine richtige Lösung.

90-Jährige bringt Räuber hinter Gitter
Handtaschenraubserie beendet

Wiesbaden. Ein von der Polizei *0* ▨▨ Serien-Handtaschenräuber wurde vergangenen Freitag von der 90-jährigen Berta W. zur Strecke gebracht.
1 ▨▨ von der Polizei zu erfahren war, *2* ▨▨ sich
5 Berta W. gerade auf ihrem allabendlichen Spaziergang durch den Kurpark, als sich ihr der 23-jährige Heinz S. von hinten mit seinem Fahrrad näherte. Beim Anblick der zierlichen, kleinen Rentnerin glaubte er *3* ▨▨ eine leichte Beute vor sich zu haben, trat fest in die Pedale
10 seines sportlichen, blau-gelben Mountain Bikes und versuchte im Vorbeifahren Berta W. ihre über die rechte Schulter hängende Handtasche zu entreißen.
Jedoch hatte der Räuber wohl nicht mit der Courage der alten Dame gerechnet. Denn *4* ▨▨ ergriff blitzschnell
15 ihren Regenschirm und versetzte Heinz S. einen so heftigen Schlag, dass dieser von seinem Fahrrad stürzte. Dabei schrie sie *5* ▨▨ Leibeskräften um Hilfe.
Ihre Schreie hörte zufällig ein Spaziergänger, der gerade *6* ▨▨ Hund spazieren führte. Sofort rannte er Berta W.
20 zu Hilfe und überwältigte den durch die Stockhiebe geschwächten Heinz S..Der Hund des Spaziergängers, ein ausgewachsener Schäferhund, fügte dabei dem geschlagenen Handtaschenräuber eine Bisswunde im Gesäß *7* ▨▨. Mit der Hundeleine gefesselt, konnte
25 Heinz S. einer Polizeistreife übergeben werden, die sich in der Nähe befand und die ihn sogleich auf die Wache abtransportierte. Dort stellte sich *8* ▨▨, dass Berta W. nicht das erste Opfer von Heinz S., der wegen ähnlicher Überfälle bereits gesucht wurde, *9* ▨▨. Die zur Er-
30 greifung des Räubers ausgesetzte Belohnung lehnte die resolute Frau glattwegs ab. Von einem richtigen Polizeiwachtmeister in Uniform nach Hause geleitet zu werden, gestand die alte Dame, das *10* ▨▨ schon ein Mädchentraum von ihr gewesen.

Beispiel: 0
A) gefundener
B) suchender
Ⓧ) gesuchter
D) süchtiger

1
A) Weil
B) Wie
C) Während
D) Da

2
A) ging
B) befand
C) bewegte
D) lief

3
A) hoffentlich
B) öffentlich
C) sichtlich
D) offensichtlich

4
A) diese
B) dies
C) dieser
D) diesen

5
A) mit
B) aus
C) von
D) bei

6
A) ihren
B) sein
C) jenen
D) seinen

7
A) zu
B) an
C) mit
D) bei

8
A) hinaus
B) aus
C) fest
D) heraus

9
A) ist
B) gewesen ist
C) gewesen war
D) gewesen sei

10
A) war
B) sei
C) ist
D) würde

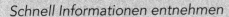

Schnell Informationen entnehmen

10 Min	➤ Lesen Sie zunächst die Aufgaben.
1 Dialog	➤ Hören Sie dann das folgende Telefongespräch eines Interessenten mit
à 2 Min	der Volkshochschule nur e i n m a l.
15 Punkte	➤ Lösen Sie während des Hörens die Aufgaben.
	Machen Sie Notizen.

0 Gewünschter Kurs:........ *Malkurs* ....

1 vorhandene Vorkenntnisse: ....

2 empfohlener Kurs: ....

3 Kursinhalt: ....

4 Kursdaten: ....

5 Kursort: ....

6 Wie erreichbar: ....

7 Kosten: ....

8 Mitzubringen: ....

9 Wie anmelden: ....

10 Wie bezahlen: ....

Hörverstehen 2 – Test 2
Hauptaussagen und Einzelheiten wiedergeben

25 Min
1 Gespräch
à 10 Min
15 Punkte

➤ Sie hören eine Radiosendung. Ein Moderator spricht mit vier Gästen über das Thema: Paparazzi – Bildjournalisten oder Schmutzfinken? Zu diesem Text sollen Sie zehn Aufgaben lösen. Lesen Sie zuerst die Aussagen 1–10 und das Beispiel.

➤ Hören Sie dann den Text zuerst einmal ganz.

➤ Hören Sie ihn anschließend noch einmal in Abschnitten – ein Ton zeigt Ihnen an, wann ein neuer Abschnitt beginnt.

➤ Bevor Sie einen Abschnitt hören, lesen Sie alle Aussagen noch einmal schnell durch.

➤ Kreuzen Sie während oder nach dem zweiten Hören an, wer die Aussage gemacht hat.

➤ Beachten Sie: Die Reihenfolge der Aussagen muss nicht der Reihenfolge im Text entsprechen.

Beispiel:

Wer sagt das?

		Moderator	Herr Schamm	Herr Bayer	Frau Mann	Frau Heinemacher
0	Das Thema der Sendung ist Paparazzi – Bildjournalisten oder Schmutzfinken?	X				
1	Meinungsfreiheit gibt es nur, wenn man verschiedene Zeitungen kaufen kann.					
2	Manche Prominenten möchten ihr Bild in der Zeitung sehen.					
3	Man kann ein Foto für eine Million DM oder mehr verkaufen.					
4	Fotografen werden wie Jäger dargestellt, die ihre Opfer jagen.					
5	Bilder gegen Gewalt lassen sich schlecht verkaufen.					
6	Die Medien haben sehr viel Macht.					
7	Es gibt Grenzen, wie man miteinander umgehen soll.					
8	Man kann nichts gegen Paparazzi tun.					
9	In Frankreich werden Prominente gut vor der Presse geschützt.					
10	Das Verhalten der Paparazzi im Fall Mahnke ist unvergessen.					

Wer sagt das?

		Mode-rator	Herr Schamm	Herr Bayer	Frau Mann	Frau Heine-macher
0	Das Thema der Sendung ist Paparazzi – Bildjournalisten oder Schmutzfinken?	X				
1	Meinungsfreiheit gibt es nur, wenn man verschiedene Zeitungen kaufen kann.					
2	Manche Prominenten möchten ihr Bild in der Zeitung sehen.					
3	Man kann ein Foto für eine Million DM oder mehr verkaufen.					
4	Fotografen werden wie Jäger dargestellt, die ihre Opfer jagen.					
5	Bilder gegen Gewalt lassen sich schlecht verkaufen.					
6	Die Medien haben sehr viel Macht.					
7	Es gibt Grenzen, wie man miteinander umgehen soll.					
8	Man kann nichts gegen Paparazzi tun.					
9	In Frankreich werden Prominente gut vor der Presse geschützt.					
10	Das Verhalten der Paparazzi im Fall Mahnke ist unvergessen.					

Schriftlicher Ausdruck 2 – Test 1

Etwas berichten, Meinung äußern

70 Min
1 Brief/Referat
200–250 Wörter
20 Punkte

➢ Wählen Sie aus den folgenden Themen 1A, 1B, 1C eines aus. Sie haben dazu fünf Minuten Zeit.
➢ Gehen Sie dann zu der entsprechenden Aufgabe.

1A: Leserbrief

Thema:
Religiöse Sekten

Sie sollen auf eine kurze Zeitungsmeldung reagieren und einen Leserbrief schreiben. Sagen Sie Ihre Meinung dazu, wie man sich Eltern gegenüber verhalten soll, die aus religiösen Gründen ihre Kinder nicht ärztlich behandeln lassen.

1B: Persönlicher Brief

Thema:
Versetzung

Eine Freundin schreibt Ihnen, dass sie aus beruflichen Gründen in Ihre Heimatstadt versetzt werden soll und fragt um Rat. Schreiben Sie ihr.

1C: Referat

Thema:
Zukunftswünsche

Sie sollen Zukunftswünsche der Deutschen und der Menschen Ihres Heimatlandes vergleichen. Dazu erhalten Sie Informationen mittels eines Schaubildes.

Schriftlicher Ausdruck 2 – Test 1 A

Einen Leserbrief schreiben

Im September stand folgende Meldung in der Zeitung:

Krankes Kind starb – Eltern verhaftet

Gräling (dna) Nach dem Tod des 2-jährigen Lars sind die Eltern verhaftet worden. Sie hatten aus religiösen Gründen einen angeborenen Herzfehler ihres Sohnes nicht ärztlich behandeln lassen. Das Paar war vor sechs Monaten mit seinen vier Kindern in das Zentrum einer Grälinger Glaubensgemeinschaft gezogen, die jede ärztliche Behandlung ablehnt. Der kleine Lars litt außerdem an chronischer Unterernährung und wog bei seinem Tod nur 5,5 Kilogramm – viel weniger als das für dieses Alter übliche Körpergewicht. Die drei älteren Geschwister von Lars wurden inzwischen zu ihren Großeltern gebracht.

➢ **Schreiben Sie einen Leserbrief an die Zeitung und gehen Sie auf folgende Punkte ein:**

• Warum Sie schreiben
• Welche Einstellung Sie zu religiösen Gruppen haben
• Wie man in Ihrem Heimatland die Eltern beurteilen würde
• Ob man Ihrer Meinung nach Kinder und Jugendliche vor solchen Eltern schützen soll
• Welche Maßnahmen des Staates Sie empfehlen, um einen derartigen Missbrauch zu vermeiden.

➢ **Schreiben Sie etwa 200–250 Wörter.**

Achtung! Es ist nicht erforderlich, eine Adresse anzugeben.
Achten Sie darauf, dass Sie die Sätze sinnvoll miteinander verbinden.

Eine Freundin schreibt Ihnen Folgendes:

Wiesbaden, den 4. Oktober 1998

Liebe ..../Lieber ....,

hab Dank für deine liebe Urlaubskarte. Ich war so froh nach so langer Zeit wieder einmal ein Lebenszeichen von dir zu bekommen. Es ist schon komisch, denn gerade letzte Woche musste ich an dich und deine Familie denken. Da habe ich nämlich erfahren, dass ich versetzt werden soll, und rate mal, wohin? Richtig! In eure Stadt. Einerseits finde ich den Gedanken toll, denn dann könnten wir wieder wie früher viel gemeinsam unternehmen. Andererseits habe ich mir hier in Wiesbaden einen netten Bekanntenkreis aufgebaut, den ich nicht gern aufgeben möchte. Nun muss ich mich entscheiden, eine Woche Zeit hat mir der Chef gegeben. Was hältst du von der Sache? Schreib mir schnell. Du weißt, dein Rat bedeutet mir sehr viel.

Bis bald
deine Christina

➢ **Schreiben Sie Ihrer Freundin und sagen Sie, was Sie von einer Versetzung halten. Gehen Sie dabei auf die folgenden 5 Punkte ein:**

- Bedanken Sie sich für den Brief, schreiben Sie, wie es Ihnen gerade geht
- Diskutieren Sie die Vorteile einer Versetzung
- Diskutieren Sie die Nachteile
- Formulieren Sie Ihre eigenen Vorstellungen zu Beruf und Arbeitsort
- Sagen Sie, was Sie an Christinas Stelle dem Chef antworten würden

➢ **Schreiben Sie etwa 200–250 Wörter.**

Achtung!   Achten Sie darauf, dass Sie die Sätze sinnvoll miteinander verbinden.

Was wünschen sich die Deutschen am meisten?
Von 100 Befragten nannten zuerst:

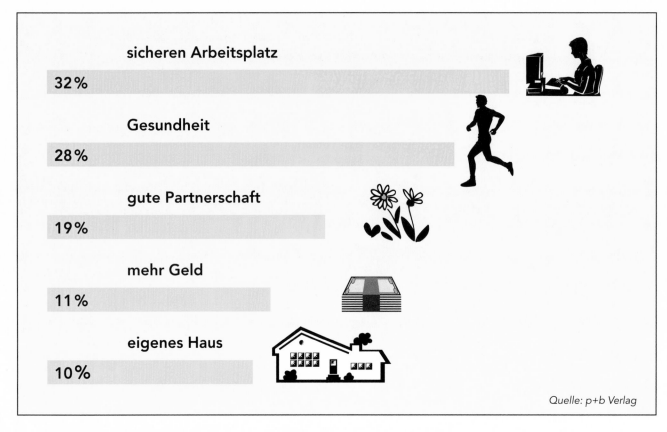

- **sicheren Arbeitsplatz**
  - 32 %
- **Gesundheit**
  - 28 %
- **gute Partnerschaft**
  - 19 %
- **mehr Geld**
  - 11 %
- **eigenes Haus**
  - 10 %

Quelle: p+b Verlag

➤ **Vergleichen Sie in einem Referat die Zukunftswünsche der Deutschen mit denen Ihrer Landsleute.**

➤ **Arbeiten Sie das Referat schriftlich aus.**

➤ **Gehen Sie dabei auf die folgenden Punkte ein:**

- Beginnen Sie mit der Begrüßung der Zuhörer, stellen Sie sich vor und geben Sie einen Überblick über den Aufbau Ihres Referates

- Fassen Sie die Ergebnisse des Schaubildes zusammen

- Diskutieren Sie, warum ein sicherer Arbeitsplatz den Deutschen so wichtig ist

- Wie sähe das Umfrageergebnis in Ihrem Heimatland aus? Begründen Sie Ihre Meinung zu den Zukunftswünschen Ihrer Landsleute

- Was ist für Sie persönlich das Wichtigste für die Zukunft?

➤ **Schreiben Sie etwa 200–250 Wörter.**

Achtung! Bei der Bewertung Ihres Referates wird nicht nur auf die Korrektheit Ihres Schreibens geachtet. Es ist genauso wichtig, wie Sie Ihre Abschnitte und Sätze miteinander verbinden.

Schriftlicher Ausdruck 2 – Test 2
Umformung eines Briefes

20 Min ➤ Die Moderatorin einer beliebten Talk-Show lädt zu ihrem Abschieds-Talk ein.
2 Briefe   Sie schreibt eine Einladung an einen vertrauten Freund und an den Bürgermei-
120 Wörter   ster ihrer Stadt.
10 Punkte ➤ Füllen Sie die Lücken 1 – 10 in dem Brief an Herrn Axner.
          Greifen Sie dabei auf die Informationen aus dem ersten Brief zurück.
          In jede Lücke gehören ein oder zwei Wörter.

Beispiel: **0** = entschuldigen

Lieber Hans-Erich,

tut mir Leid, aber erst jetzt komme ich zum
Schreiben. Du weißt ja, Fernsehen ist
Stress. Dennoch wäre es einfach super,
wenn du zu meiner letzten Sendung kommen könntest.
Ich möchte nämlich all die Leutchen, die mir
in meinem Leben wichtig sind, beim letzten
Mal um mich haben.
Du sollst natürlich auch erzählen. Ganz Privates von uns, so wie du mich kennst. Klar,
dass wir das vorher bequatschen.
Es springt natürlich auch etwas für dich
dabei heraus. Fünfzehn Blaue sind für dich
drin.
Also mein Lieber, lass von dir hören, fax am
besten gleich morgen durch.

Einen dicken Kuss
deine Aramella

Sehr geehrter Herr Axner,

bitte **0** *entschuldigen* Sie, dass ich Ihnen
diese Einladung so spät zukommen lasse. Aber
Sie wissen ja, dass Fernsehen immer sehr
1 _____ ist.
Ich würde mich sehr **2** _____ ,
wenn Sie dieser Einladung zu meiner letzten
Sendung nachkämen. Ich möchte nämlich alle
3 _____ , die für mein Leben
wichtig sind oder waren, in diesem wichtigen
Augenblick um mich haben.
Natürlich geht es ums **4** _____ .
Aus dem **5** _____ Bereich
natürlich auch. Wir sollten selbstverständlich vorher festlegen, **6** _____ wir uns
vor der Kamera unterhalten.
Natürlich werden Sie für Ihren Auftritt ein
7 _____ erhalten. **8** _____
DM sind pro auftretender Person vorgesehen.
Sehr geehrter Herr Bürgermeister,
9 _____ teilen Sie mir mit, ob ich
Sie bei meiner Sendung begrüßen darf.
Bis dahin verbleibe ich mit
10 _____

Ihre *Aramella Herzhart*

Mündlicher Ausdruck 2 – Test 1

Bildbeschreibung, über ein Thema sprechen

7 Min
2 Bilder
15 Punkte

➢ Sprechen Sie bitte so ausführlich wie möglich über die beiden Fotos.
➢ Sie sollen etwa 7 Minuten sprechen.

- Beschreiben Sie zuerst die Dinge und Personen sowie das Geschehen auf den Fotos, eine ausführliche Bildbeschreibung ist nicht nötig

- Finden Sie dann ein gemeinsames Thema für beide Fotos und formulieren Sie dazu eine Frage von allgemeinem Belang und/oder

- Vergleichen Sie die dargestellten Situationen mit den Verhältnissen in Ihrem Heimatland und/oder

- Berichten Sie von persönlichen Erfahrungen.

Mündlicher Ausdruck 2 – Test 2

Ein Problem diskutieren und sich einigen

7 Min
4 Bilder
15 Punkte

➤ Ihre (ehemalige) Schule in Ihrem Heimatland hat Sie eingeladen einen Vortrag über Deutschland und das typische Verhalten der Deutschen zu halten. Dazu soll ein Plakat entworfen werden, mit dem in Ihrer Heimatstadt für Ihren Vortrag geworben wird.

➤ Wählen Sie zusammen mit einem Partner/einer Partnerin zwei Fotos aus, die Ihnen am geeignetsten erscheinen.

• Schauen Sie sich zunächst die Fotos an und bilden Sie sich selbst eine Meinung
• Diskutieren Sie anschließend mit Ihrem Partner/Ihrer Partnerin Ihre Meinung
• Kommen Sie am Ende zu einer gemeinsamen Entscheidung.

➤ Diskutieren Sie etwa 7 Minuten.

Lösungen – Prüfung 2

Leseverstehen 2 – Test 1

1 G
2 D
3 E
4 –
5 B

Leseverstehen 2 – Test 2

1. Messen der Gehirnströme und Muskelbewegungen
2. 30 %
3. beim Aufwachen, während oder kurz nach einem Traum
4. Träume sind verdrängte sexuelle Wünsche.
5. Sie werden mit Erinnerungsbildern verknüpft, vermischt und neu zusammengesetzt.
6. durch Persönlichkeit und Alltag des Träumenden
7. Freizeit, Arbeitsleben, Partnerschaft
8. gescheiterter Versuch ein Trauma mit Hilfe des Träumens zu überwinden
9. um Ausgang des Traums zu beeinflussen/positiv umzugestalten
10. durch bestimmte Konzentrationsübungen.

Leseverstehen 2 – Test 3

Frage	positiv	negativ/skeptisch
1	X	
2		X
3		X
4		X
5	X	

Leseverstehen 2 – Test 4

1 B)
2 B)
3 D)
4 A)
5 B)
6 D)
7 A)
8 D)
9 B)
10 B)

Hörverstehen 2 – Test 1

1. keine
2. Aquarellmalen für Anfänger
3. Aquarelltechniken kennen lernen, spielerische Übungen, Malen nach der Natur
4. Jeden Dienstag, 18.30 – 21.00 Uhr, Beginn: 18.2.
5. Schumannschule, Schumannstraße 18
6. Straßenbahnlinie 8
7. 15 Abende kosten 200,– DM
8. steht auf Materialliste
9. in der Geschäftsstelle oder schriftlich
10. bar, Scheck oder Überweisung

Hörverstehen 2 – Test 2

Wer sagt das?	Mode-rator	Herr Schamm	Herr Bayer	Frau Mann	Frau Heine-macher
1			X		
2		X			
3		X			
4			X		
5					X
6	X				
7	X				
8				X	
9				X	
10	X				

Schriftlicher Ausdruck 2 – Test 2

1. anstrengend (stressig)
2. freuen
3. Menschen/Leute
4. Erzählen
5. privaten
6. worüber
7. Honorar
8. Fünfzehnhundert
9. bitte
10. freundlichen Grüßen

Hörverstehen 2 – Test 1
Telefongespräch mit der Volkshochschule

VHS: Volkshochschule, Servicebüro, Meier, Guten Tag.

Anrufer: Guten Tag, hier ist Wagmüller. Ich möchte Malen lernen, weiß aber nicht, welchen Kurs ich da besuchen kann. Können Sie mir weiterhelfen?

VHS: Möchten Sie in Öl malen, aquarellieren, pastellmalen oder zeichnen?

Anrufer: Mm. Also ...

VHS: Haben Sie irgendwelche Vorkenntnisse?

Anrufer: Nein. Überhaupt keine.

VHS: Dann empfehle ich Ihnen unseren Kurs „Aquarellmalen für Anfänger", da brauchen Sie keine Vorkenntnisse zu haben und Sie können auch gleich anfangen.

Anrufer: Was lernt man denn da, in „Aquarellmalen für Anfänger"?

VHS: Nun, zunächst einmal lernen Sie die Aquarelltechniken kennen, über spielerische Übungen machen Sie sich mit dem Handwerkszeug und den Farben vertraut. Schließlich beginnen Sie mit dem Malen nach der Natur.

Anrufer: Das hört sich gut an. Wann findet der Kurs denn statt?

VHS: Jeden Dienstag von 18.30 – 21.00 Uhr. Der Kurs beginnt schon in drei Wochen, also am 18. Februar.

Anrufer: Aha, ich verstehe. Jeden Dienstagabend also. Gut. Und ab 18. Februar. Findet der Kurs im Volkshochschulgebäude statt?

VHS: Nein, der Aquarellkurs ist in der Schumannschule, Schumannstraße 18. Die Adresse finden Sie aber auch auf Ihrer Anmeldebestätigung.

Anrufer: Ich habe kein Auto, wie kann ich denn die Schumannschule erreichen?

VHS: Am besten mit der Straßenbahn, Linie 8, Richtung Nordstadt. Nach dem Hauptbahnhof die fünfte Haltestelle: Beethovenplatz. Von da sehen Sie schon die Schumannschule.

Anrufer: Wie lange dauert der Kurs und was kostet er?

VHS: Fünfzehn Abende kosten 200 Mark.

Anrufer: Gut. Was muss ich denn am ersten Abend mitbringen?

VHS: Das steht alles auf der Materialliste, die Sie zusammen mit der Anmeldebestätigung erhalten.

Anrufer: Und wie melde ich mich am besten an?

VHS: Am besten kommen Sie einfach in unserer Geschäftsstelle vorbei. Bei uns können Sie bar oder per Scheck bezahlen. Die Anmeldebestätigung und die Materialliste nehmen Sie dann gleich mit. Oder Sie melden sich schriftlich an und überweisen den Betrag. Ihre Anmeldebestätigung und Materialliste kommen dann per Post.

Anrufer: Ich verstehe. Vielen Dank für Ihre Auskunft. Auf Wiederhören.

VHS: Vielen Dank für Ihren Anruf. Auf Wiederhören.

Hörverstehen 2 – Test 2
Paparazzi – Bildjournalisten oder Schmutzfinken?

Moderator: Guten Morgen, sehr verehrte Zuhörerinnen und Zuhörer. Das Thema unserer Sendereihe „Probleme der Zeit" lautet heute: Paparazzi – Bildjournalisten oder Schmutzfinken? Bei mir im Studio begrüße ich Frau Dr. Mann, Rechtsanwältin, die die Interessen betroffener Prominenter wahrnimmt. Des weiteren Herrn Bayer, Chefredakteur bei der Boulevard-Zeitung Blitz. Als Vertreterin der betroffenen Prominenten Frau Heinemacher. Und selbstverständlich haben wir auch einen Bildreporter eingeladen, das ist Herr Schamm.

Moderator: Die oberen Zehntausend, immer im strahlenden Mittelpunkt. Mittagessen im Ritz in Paris, Abendessen in Rom auf der Via Veneto. Ein Leben ohne jegliche finanziellen Sorgen – aber das ist oft nur ein schöner Schein. Denn die Großen dieser Welt werden auf Schritt und Tritt von Sensationsfotoreportern verfolgt. Noch alle haben den schrecklichen Unfall Lady Dianas in Erinnerung. Dort hat sich auf tragische Weise gezeigt: Beim Kampf um die besten Bilder schrecken die Paparazzi vor nichts zurück. Selbst als der entsetzliche Unfall geschah, leisteten die verfolgenden Fotoreporter nicht etwa erste Hilfe, nein, wichtiger war für sie das beste Bild zu schießen. Herr Schamm, meine erste Frage an Sie: Warum nur vergessen Bildreporter jegliches menschliche Mitgefühl und hetzen Prominenten hinterher, lauern ihnen auf, um sie in verfänglichen Situationen, etwa bei einem Seitensprung, abzulichten? Warum schrecken sie vor unseriösen Praktiken nicht zurück?

Herr Schamm: Ein Foto kann Millionen wert sein. Darum lautet die oberste Regel für uns: immer auf der Lauer auf Schritt und Tritt. Natürlich ist nicht jeder Mensch interessant genug, aber wenn wir Claudia Schiffer nackt beim Sonnenbaden aufnehmen oder beim Verlassen eines Hauses, in dem sie besser nicht zu sehen wäre, dann ist das fotografisch verwertbar, denn es ist viel Geld wert. Jede noch so kleine verfängliche Situation könnte einen großen Skandal bieten. Und ein Skandal erregt öffentliches Interesse, wer möchte nicht wissen, wie Claudia nach dem Aufstehen nach einer durchfeierten Nacht aussieht.

Moderator: Aber gibt es nicht das Recht auf den Schutz der Privatsphäre? Brauchen nicht alle, selbst ein Bundespräsident oder beliebter Schauspieler, Zeit für sich selbst, um sich in ihrem eigentlichen Leben zu regenerieren?

Herr Schamm: Natürlich ist das richtig. Aber schauen Sie, ich bin schon von Leuten angesprochen worden, die noch nicht so prominent waren, ob ich nicht mal ein Bild von Ihnen in einem auflagenstarken Blatt, etwa in Blitz, unterbringen könnte. Das mache ich immer ganz gern, wenn ich eine Möglichkeit dazu sehe. Wenn dann dieser Mensch berühmter geworden ist, also eine sogenannte öffentliche Person, dann ist es doch nicht unlauter, nichts Unrechtes, wenn ich weiterhin hinter Bildern von dieser Person her bin, die ich dann versuche einer Zeitung zu verkaufen. Beide machen wir doch ein Geschäft dabei. Wer mehr öffentliches Interesse erfährt, gleich ob mit positiven oder negativen Schlagzeilen, steigert doch seinen Marktwert. Und auch ich lebe dann etwas besser von meinen Bildern. Bildjournalismus ist meine Arbeit, das darf man nicht vergessen. Und wer gut arbeitet, verdient auch gut zu verdienen.

Moderator: Aber es gibt doch ein Berufsethos. Es gibt Grenzen des Umgangs miteinander. Wer diese überschreitet, verstößt der nicht gegen Sitte und Anstand?

Herr Schamm: Auch hier gebe ich Ihnen Recht. Ich habe mein Berufsethos, meinen Journalisten-Ehrenkodex, und es gibt Dinge, da weigere ich mich auf den Auslöser zu drücken. Beispielsweise hätte ich mich bestimmt nicht so verhalten wie die Reporter damals im Falle Dianas und Dodis. Aber so wie es gute und schlechte oder stillose Moderatoren gibt, gibt es eben auch gute und schlechte Bild-

reporter. Ich möchte übrigens mal feststellen, als Paparazzi sehen sich die meisten meiner Kollegen überhaupt nicht. Wir wollen aktuelles Zeitgeschehen festhalten, aber nicht um jeden Preis.

Moderator: Ja, Frau Heinemacher, Sie sind ja Betroffene. Ich kann mich noch sehr gut an ein Bild in Blitz erinnern, das zeigte Sie in Tränen aufgelöst.

Frau Heinemacher: Oh ja, damals wurde viel, viel schmutzige Wäsche in aller Öffentlichkeit gewaschen. Ich hätte mir nie vorstellen können, dass die Öffentlichkeit, die mich ja einmal sehr mochte, das darf ich schon sagen, plötzlich so gegen mich war. Oh ja. Ich bin mir heute noch immer keiner Schuld bewusst. Aber aus irgendwelchen Gründen schoss die Presse auf mich ein. Und schon kippte die öffentliche Meinung und ich wurde zu einer Unperson, zu einer Unfrau. Um nun auf die Paparazzi zurückzukommen, die konnten damals nur Bilder von der bösen Heinemacher verkaufen. Was taten sie also? Sie lauerten mir auf, verfolgten mich auf Schritt und Tritt, stellten provozierende Fragen. Irgendwann konnte ich nicht mehr anders und flippte total aus. Schrie die Leute an, riss einem die Kamera aus der Hand. Da waren die natürlich heilfroh, weil jetzt bekamen sie die Bilder, die ihnen Geld brachten. Die liebe, nette Heinemacher dagegen hätte keinen Pfennig gebracht. Also, um das einmal klipp und klar zu sagen, wenn Herr Schamm sagt, er macht nicht Bilder um jeden Preis, dann ist das vielleicht sehr ehrenwert für ihn, aber die Realität sieht doch ganz anders aus.

♪ ♪ ♪

Moderator: Können Sie das vielleicht noch etwas näher erläutern?

Frau Heinemacher: Nun, Paparazzi bekommen für sogenannte harmlose Bilder keinen Pfennig. Wen interessierte schon, wenn Lady Di sich in Angola oder Bosnien gegen Tretminen stark machte. Das ist ja die Weltpolitik, die eh jeden Tag in den Nachrichten abgehandelt wird. Nein, ein Paparazzo braucht da schon etwas ganz anderes. Und wenn er wegen seines Berufsethos' kein Bild von der toten Di machte, dann wäre das der Zeitpunkt, an dem er besser den Beruf wechselte. Also, Herr Schamm, ich kenne leider keine Bilder von Ihnen, aber eines möcht' ich doch mal hier festhalten…

Moderator: Der Zwang des Paparazzo immer sensationellere Bilder von Prominenten zu liefern ist, da stimmen Sie wahrscheinlich alle mit mir überein, unbestreitbar. Ich möchte an dieser Stelle gern einmal Herrn Bayer fragen, ob nicht die Boulevard-Presse ihren Teil zu diesen schmutzigen Praktiken beiträgt. Herr Bayer, wie sehen Sie das?

Herr Bayer: Nun, Sie stellen die Fotografen hier als Meute, die Prominenz als Opfer dar. Das mag in Ausnahmefällen ja so sein, generell ist es aber doch wohl eher so zu sehen, wie das schon Herr Schamm darstellte. Zwischen Presse und Prominenten gibt es durchaus ein Abkommen, von dem beide Seite profitieren. Und ebenso gibt es zwischen Presse und Leserschaft solch ein Abkommen. Schauen Sie, wir leben nun mal in einem marktwirtschaftlichen Gesellschaftssystem. Verkaufen kann man nur, wenn man eine Ware hat, für die sich der Markt interessiert. Dieser Markt ist also da, das Interesse an der Prominenz. Von daher bin ich mir als Chefredakteur einer Zeitung, einer sehr erfolgreichen, wie jeder weiß, nicht der geringsten Schuld bewusst.

Moderator: Aber machen Sie es sich hier nicht zu einfach, Herr Bayer? Die Macht der Medien ist in tausend Untersuchungen bewiesen worden. Hätten Sie deshalb nicht vielmehr die Aufgabe, einer gesellschaftspolitischen Verantwortung nachzukommen, nämlich der, Missstände aufzudecken und daran mitzuarbeiten, diese abzustellen, statt Bildchen von Sängerinnen im Bordell abzudrucken oder Bilder von Prinzessinnen, die mit dem Chauffeur des Vaters Händchen halten?

Herr Bayer: Ich glaube, zu Meinungsfreiheit gehört auch die Vielfalt der Presse. Es gibt ja solche Zeitungen, die ihre Aufgabe in dem von Ihnen Angesprochenen sehen. Kaufen Sie sich die **FAZ** oder die **SÜDDEUTSCHE**, dann werden Sie bestens bedient. Wir sehen unseren Arbeitsbereich, oder besser, wir dokumentieren eben den anderen Bereich. Das ist doch ebenso ein Stück Zeitgeschichte. Wir bedienen eben ein anderes öffentliches Interesse, und zwar das Interesse auch am Privaten der Prominenten. Das ist legal, deshalb haben Persönlichkeiten im Rampenlicht auch nur ein eingeschränktes Recht am eigenen Bild. Prominent sein heißt nun mal, dass man der Öffentlichkeit gegenüber auch einen Teil seines Privatlebens zugänglich machen muss. Im Guten und im Schlechten. Das schuldet man einfach denen, die zur eigenen Prominenz verholfen haben.

♪♪♪♪

Moderator: Ja, danke, Herr Bayer, ich bin allerdings nicht mit Ihrer Sichtweise einverstanden. Deshalb an Sie, Frau Dr. Mann, meine nächste Frage. Sie vertreten ja die Prominenz, wenn deren Persönlichkeitsrechte verletzt werden. Der Fall Mahnke, den man auf Schritt und Tritt verfolgte, um ein paar Bilder vom betrunkenen Mahnke mit blauem Auge zu erheischen, ist den meisten noch in bester Erinnerung. Sie sehen ja wohl in der Arbeit der Paparazzi nichts Legales.

Frau Mann: Nein, ganz und gar nicht. Aber leider kann man gegen die Fotografen meistens gar nichts tun, weil sie unbekannt sind. Bei den Veröffentlichungen in den Zeitungen erscheinen keine Copy-Right-Vermerke. So wissen wir eigentlich gar nicht, wer die Leute sind, die unsere prominenten Mandanten verfolgen. So können wir also nur gegen die Zeitungen vorgehen, die die Fotos drucken und nicht gegen die Fotografen selbst.

Moderator: Und wenn man gegen die Zeitungen vorgeht, was kann man dann tun?

Frau Mann: Dann können wir Unterlassungsgeltungsansprüche geltend machen und Schmerzensgeldansprüche. Das funktioniert aber in jedem Land anders. In England gibt es gar keine Schmerzensgelder, in Frankreich ist es sehr gut, in Deutschland ist es eher so mittelmäßig. Es gibt die Figur der absoluten Person der Zeitgeschichte, und die ist praktisch vogelfrei, die darf man immer fotografieren.

Moderator: Was muss man sich denn alles als Prominenter gefallen lassen?

Frau Mann: Das hat der Gesetzgeber eigentlich sehr vernünftig geregelt. Im entsprechenden Gesetz heißt es, jeder hat sein Recht am eigenen Bild, der Prominente darf selbst entscheiden, ob er fotografiert wird oder nicht. Nur wenn ein überwiegendes zeitgeschichtliches Interesse vorhanden ist, dann dürfen auch gegen den eigenen Willen Fotos veröffentlicht werden. Wenn Sie sich nun Fotos von Mahnke mit blauem Auge oder Heinemacher, die auf Fotografen losgeht, anschauen, dann ist da ein zeitgeschichtliches Interesse doch recht schwierig nachzuweisen. Ein Unterhaltungsinteresse ja, aber doch kein zeitgeschichtliches.

Moderator: Leider ist unsere Zeit wieder einmal um. Paparazzi – Bildjournalisten oder Schmutzfinken? war unser heutiges Thema. Vieles blieb, wie so oft, unbeantwortet, ich möchte aber diese Sendung mit einer Überlegung, liebe Zuhörerinnen und Zuhörer, beenden: Wenn wir nämlich solche Zeitungen mit diesen sensationslüsternen und sehr intimen Bildern nicht kaufen würden, könnten die Verleger dann überhaupt die genannten horrenden Summen für ein privates Bildchen einer Persönlichkeit bezahlen? Und wie würden sich dann wohl Paparazzi verhalten? Danke für Ihr Interesse und auf Wiederhören bis zur nächsten Sendung.

59

10 Min	➤ Wählen Sie für fünf Personen eine Ausstellung aus.
8 Texte	Welche der 8 Ausstellungen wählen Sie für wen?
200 Wörter	➤ Es gibt jeweils nur eine richtige Lösung.
5 Punkte	➤ Es ist möglich, dass es nicht für jede Person eine passende Ausstellung gibt. Markieren Sie in diesem Fall das Kästchen so: ☐.

Beispiele: Sie suchen die passende Ausstellung für
eine Familie mit Kindern. Der Vater ist engagiertes Mitglied der freiwilligen
Feuerwehr. Lösung: ☐H
einen Verehrer Vincent van Goghs. Lösung: ☐

Sie suchen die passende Ausstellung für
1 eine Gruppe von Freunden unberührter Natur ☐
2 eine modebewusste Dame, die demnächst heiraten will ☐
3 einen Liebhaber impressionistischer Malerei ☐
4 einen Freund historischer Dokumente und Akten ☐
5 eine Hobbyfotografin, die gerne Menschen fotografiert. ☐

Documenta X 1997
Die Documenta findet alle fünf Jahre in der nordhessischen Metropole Kassel statt. Sie gilt als die Ausstellung zeitgenössischer Kunst schlechthin. Maler, Bildhauer, Fotografen und Aktionskünstler aus aller Welt stellen ihre neuesten Werke vor. Dieses Jahr liegen die Schwerpunkte auf der Objektkunst und Kunst unter freiem Himmel.

Akte in den 20ern
Diese Ausstellung in der Hamburger Messehalle ist der zweite Teil der Reihe „Die Geschichte der Aktfotografie". Gezeigt werden Aufnahmen aus den Jahren 1920–1929 von unbekannten und bekannten Fotografen. Einen großen Raum nehmen dabei Fotos männlicher Modelle ein. Die Veranstaltung will auch auf die gesellschaftlichen und politischen Begleitumstände aufmerksam machen.

Dokumente und Urkunden aus dem 18. Jahrhundert
Das hessische Staatsarchiv in Wiesbaden zeigt interessante Dokumente und Urkunden aus dem vorvergangenen Jahrhundert. Kuriosa wie die Polizeiakten des „Schinderhannes", des „Robin Hood von Taunus und Hunsrück" sowie Heiratsurkunden und Testamente der Landgrafen von Hessen-Nassau geben Aufschluss über die damalige Zeit.

Verkehr verkehrt

Die Entwicklung der Verkehrsmittel ist das Thema dieser Ausstellung im Berliner Verkehrsmuseum. Gezeigt wird die Entwicklung der Verkehrsmittel von der Pferdedroschke bis hin zum Automobil und zum ICE. Besonderes Gewicht liegt dabei auf den negativen Auswirkungen des motorisierten Verkehrs auf Umwelt, Klima und Lebensweise des Menschen. Alternativen, die Mensch und Natur wieder Raum und Luft lassen, werden vorgestellt.

Liebermann – Corinth – Slevogt

Die Kunsthalle Mannheim zeigt die Entwicklung des deutschen Impressionismus in der Malerei anhand des Werkes der drei großen deutschen Impressionisten Max Liebermann, Lovis Corinth und Max Slevogt. Die Einflüsse aus Frankreich werden ebenso angesprochen wie das Eigenständige im Werk der drei Maler.

Kreationen in Weiß

Eine Ausstellung ganz besonderer Art ist die Brautkleiderschau in Düsseldorf mit Kreationen der besten Brautmodeschöpfer Europas und der USA. Von rauschenden Gewändern mit wehenden Schleiern bis zum raffinierten Minikostüm wird gezeigt, wie frau das Ja-Wort in Kirche oder Standesamt zu einem Mode-Happening ganz in Weiß machen kann.

Der Berg ruft

Unter diesem Motto steht die Ausstellung im Innsbrucker Stadtmuseum zum Thema „Wintersport in den Alpen". Auf Gemälden und Fotografien der letzten zwei Jahrhunderte wird dokumentiert, wie sich der Wintersport von den Kletterexpeditionen exzentrischer Einzelgänger im letzten Jahrhundert zum heutigen Massensporttourismus entwickelt hat. Als besonderes Bonbon für Skisportfans werden Filmvorführungen berühmter Skispringen geboten. Nicht verschwiegen werden auch die Auswirkungen des Massenwintersports auf Flora und Fauna der Alpen.

150 Jahre Feuerwehr

Das Feuerwehrmuseum in Salem zeigt in einer Sonderausstellung die Entwicklung der Brandbekämpfung in den letzten 150 Jahren. Neben alten und moderneren Spritzen und allerlei Gerät sind die Feuerwehrwagen die besondere Attraktion. Geboten werden Löschvorführungen und, besonders für die jüngeren Besucher, Mitfahrten auf der Drehleiter.

35 Min   ➤ Ihre Aufgabe ist es, die fehlenden Wörter grammatisch korrekt in die
1 Text   Textzusammenfassung einzusetzen.
700 Wörter   ➤ Lesen Sie dazu den folgenden Artikel.
10 Punkte

Sprache auf Röntgenbildern

Gehirndurchleuchtungen brachten Überraschendes zu Tage: Das Gehirn trennt beim Sprachenlernen zwischen Grammatik und Wortschatz.

Schon seit mehr als einhundert Jahren beschäftigen sich
5 Anthropologen und Hirnforscher mit der Frage, was im menschlichen Gehirn wohl vor sich geht, wenn jemand eine Sprache lernt. Als einer der ersten wurde der Franzose Paul Broca fündig, der im Jahr 1861 die Region im Gehirn lokalisierte, in der Sprachenlernen vor sich geht.
10 Paul Broca untersuchte das Gehirn eines verstorbenen Insassen eines Nervensanatoriums in Paris, der nur eine Silbe sprechen konnte. Er fand dabei heraus, dass eine bestimmte Region des Gehirns des extrem Sprachbehinderten zerstört war, nämlich eine etwa zwei mal zwei Zentimeter große Zone zwischen der
15 linken Schläfe und dem linken Ohr. Daraus folgerte er, dass hier die Sprache ihren Sitz haben müsste. Nach ihrem Entdecker wurde diese Gehirnregion „Broca-Region" getauft.
Gegen Ende des neunzehnten Jahrhunderts entdeckte dann der deutsche Neurologe und Psychiater Carl Wernicke eine weitere
20 Sprachregion im Gehirn. Sie sitzt hinter der Broca-Region, nämlich oberhalb und hinter dem linken Ohr. Die sogenannte „Wernicke-Region" sei für das Verstehen von Sprache zuständig, sagte man, während die Broca-Region für die Produktion von Sprache verantwortlich gemacht wurde.
25 Mit diesem Modell der zwei Sprachzentren über dem linken Ohr konnte man nun erklären, warum z. B. einige Schlaganfallpatienten zwar Sprache verstehen, nicht aber sprechen konnten. Bei ihnen war die Broca-Region zerstört, die Wernicke-Region funktionierte offenbar noch. Anders herum
30 kann ein Patient, dessen Wernicke-Region gestört ist, zwar sprechen, jedoch kaum noch etwas verstehen.
Später wurde nach und nach entdeckt, dass insbesondere die Wernicke-Region, die für die Sprachaufnahme verantwortlich ist, mit zahlreichen anderen Regionen in der rechten Gehirn-
35 hälfte verbunden ist und dass zwischen den verschiedenen Regionen ein reger Informationsaustausch stattfinden kann.
In der rechten Gehirnhälfte wurden die für Kreativität, Kunst, Musik, Bewegung, Gefühle und Bilder verantwortlichen Bereiche lokalisiert, in der linken die beiden Sprachzentren so-
40 wie die Bereiche für logisches Denken, für Gesetze und Regeln und für das Rechnen. In der modernen Unterrichtsmethodik wird daher versucht Bereiche beider Gehirnhälften zu aktivieren, um das Sprachenlernen einfacher und effektiver zu gestalten.
Daher bieten heutzutage moderne Sprachlehrwerke nicht nur
45 Texte an, sondern liefern die passenden Bilder gleich mit. Begleitende Kassetten liefern zusätzlich den Ton, ja sogar Musik. Und viele Sprachlehrer haben sich bemüht, weg vom rein theoretischen Büffeln die Sprachvermittlung anschaulicher (Auge)

und begreifbarer (Tastsinn, Bewegung usw.) zu gestalten.
50 Vielen Lehrern gab der größere Erfolg ihrer Schüler Recht. Es blieb aber trotzdem die Frage offen, weshalb es immer noch, auch bei „gehirngerechtem" Unterrichten, einigen Sprachlernenden offenbar viel schwerer fällt als anderen, eine fremde Sprache zu lernen, und weshalb selbst „gute Schüler"
55 immer wieder Mühe haben Fehler zu verdrängen, die durch ihre Muttersprache verursacht werden, oder ihren typischen Muttersprachenakzent in der Fremdsprache loszuwerden.
Neueste Forschungen der amerikanischen Gehirnforscherin Joy Hirsch scheinen nun ein wenig mehr Licht in dieses
60 Dunkel zu bringen. Sie bediente sich der Kernspintomografie, um die Wege der Sprache ins und durch das Gehirn zu erforschen. Bei der Kernspintomografie, die sonst zur Diagnose von Gehirnerkrankungen durchgeführt wird, liegt der Patient in einer großen Röhre. Über die zu „fotografierende" Körper-
65 region wird ein Aufnahmegerät positioniert, das an einen Computer angeschlossen ist. Damit ist man in der Lage, das, was sich im Inneren des Gehirns abspielt, fast wie mit einer Videokamera aufzuzeichnen.
Die Forscherin Hirsch bat Versuchspersonen, sich in diese
70 „Röhre" zu legen und zunächst in der Muttersprache, danach in einer Fremdsprache bestimmte Wegbeschreibungen zu geben. Der Computer zeichnete auf, was dabei in den Gehirnen passierte.
Das Experiment brachte mehrere große Überraschungen zu
75 Tage: 1. Grammatik und Vokabular werden offenbar in getrennten Regionen gespeichert: die Grammatikregeln in der schon bekannten Broca-Region, die Wörter in der Wernicke-Region. 2. Es gibt unterschiedliche Areale für die Muttersprache und für jede einzelne fremde Sprache. 3. Bei
80 Versuchspersonen, die in ihrer Kindheit zweisprachig aufgewachsen sind, sind beide Sprachen in den gleichen Arealen gespeichert.
Die dazu passenden Beispiele lieferte die US-Sprachforscherin Helen Neville, die mit Einwandererkindern
85 arbeitet: Einwandererkinder, die vor dem dritten Lebensjahr angefangen hatten Englisch zu lernen, waren in der Lage die Sprache korrekt zu reproduzieren, während ältere Kinder den Einfluss ihrer Muttersprache nicht ablegen konnten.
Man nimmt an, dass bis zum dritten Lebensjahr alle für die
90 Sprache zuständigen Vernetzungen im Gehirn installiert sind. Da bei zweisprachig Aufgewachsenen alle Sprachen im gleichen Netzwerk angelegt werden, scheint ihnen auch später das Fremdsprachenlernen leichter zu fallen als einsprachig Aufgewachsenen.
95 Das Fazit der Sprachforscher: Sprachenlernen kann man nie früh genug beginnen.

Der Text beschäftigt sich mit der Erkundung der Gehirnregionen, in denen **0** ▓▓▓▓ vor sich geht. 1861 fand ein französischer Forscher die nach ihm benannte **1** ▓▓▓▓ in der linken Schläfe des Menschen. Sie ist für das Sprechen zuständig. Gegen Ende des neunzehnten Jahrhunderts fand Carl Wernicke die Region, die **2** ▓▓▓▓ verantwortlich ist. Diese ist mit anderen Regionen **3** ▓▓▓▓ verbunden. Der rechten Gehirnhälfte wurden Kunst, Musik und Kreativität zugeordnet, während der linken **4** ▓▓▓▓ zugeordnet wurden. Die **5** ▓▓▓▓ beider Gehirnhälften ergab bei vielen Sprachlernenden bessere Resultate. Die amerikanische Gehirnforscherin Joy Hirsch untersuchte das Gehirn beim Sprachenlernen mit Hilfe der **6** ▓▓▓▓, die sonst zur Diagnose von Gehirnerkrankungen durchgeführt wird. Die Versuchspersonen wurden gebeten zuerst in ihrer Muttersprache und dann in einer Fremdsprache **7** ▓▓▓▓ zu geben. Die Überraschung war, dass **8** ▓▓▓▓ offenbar getrennt gespeichert werden, dass fremde Sprachen in anderen Arealen als die **9** ▓▓▓▓ gespeichert werden und dass Personen, die in ihrer Kindheit **10** ▓▓▓▓, anscheinend weniger Probleme beim Erlernen einer Fremdsprache haben als solche, die einsprachig geblieben sind.

0 ..das Sprachenlernen.............................

1 ....

2 ....

3 ....

4 ....

5 ....

6 ....

7 ....

8 ....

9 ....

10 ....

20 Min ➤ Lesen Sie den folgenden Kommentar.
1 Text ➤ Entscheiden Sie, ob der Autor sich positiv oder negativ/skeptisch zu einem
600 Wörter der unten genannten fünf Punkte äußert.
5 Punkte ➤ Tragen Sie Ihre Ergebnisse in die Tabelle ein.

Sport hält fit

Wer mag nicht einen schlanken, durchtrainierten und gesund aussehenden Menschen anschauen? Ist es doch in unserer Zeit geradezu ein Ideal für viele – ob jung oder alt – schlank, fit und gesund zu sein oder zumindest zu scheinen. Dicke
5 sind faul und rückständig, Schlanke dynamisch und vorwärtsstrebend.

Doch nicht immer war schlank das Ideal. Betrachten wir die Gemälde eines Rubens oder Rembrandt oder sehen wir uns alte Fotos vom Beginn des zwanzigsten Jahrhunderts an, so
10 blicken wir auf zumeist wohlgenährte Menschen, deren Körperfülle auch gar nicht schamhaft verborgen wird, wie es heute geschehen würde.

Dick und rundlich zu sein war ein Zeichen für Wohlstand. Man zeigte auf diese Art und Weise, dass man nicht arm war
15 und keinen Mangel hatte. Füllige Menschen galten als gesünder als schlanke, die man für arm und unterernährt hielt. Die Fettpolster akzeptierte man als Reserve, gewissermaßen als ein Nahrungslager für schlechtere Zeiten. Dick zeigte Reichtum an, zur Kehrseite des dicken Reichtums, Gicht
20 und Rheumatismus, schwieg man.

In diesen Zeiten wären wohl nicht viele Menschen auf die Idee gekommen ihre Körper durch sportliche Betätigung in Form zu halten. Körperliche Betätigung galt als ein Zeichen niederen Standes. Der höhere Stand ließ sich bewegen, zu
25 Pferd, in der Kutsche oder gar in einer Sänfte, die wiederum getragen werden musste – von gut trainierten Männern niederen Standes.

Diese Situation hat sich heute grundlegend geändert. Die Bewegungsarmen sind heute eindeutig in der Minderzahl.
30 Keine Stadt, kein Dorf, die nicht mindestens einen Sportverein vorzuweisen hätten! Fitness-Studios schießen wie Pilze aus dem Boden und Sportarten wie Fahrradfahren, Waldlauf oder Schwimmen gehören zur Standard-Freizeitbeschäftigung.

35 Darüber hinaus bieten die unzähligen Sportvereine ein weites Feld für allerlei soziale Betätigungen. Der Sportverein ist für viele zu einer Art von zweitem Zuhause geworden. Man trifft sich mit Gleichgesinnten, knüpft Kontakte, gestaltet die Freizeit gemeinsam, reist gemeinsam in Urlaub. So manches
40 Vereinsmitglied hat hier den Partner oder die Partnerin für das Leben gefunden. Sport als Kontaktvermittlung: in unserem kontaktarmen Leben eine durchaus wichtige Rolle.

Die Massensportbewegung findet in den Medizinern ihre Fürsprecher. Wer sich fit hält durch Sport und Bewegung,
45 so das Credo, tut sehr viel für seine Gesundheit. Kreislaufbeschwerden verschwinden, Stoffwechselerkrankungen werden positiv beeinflusst, verspannte Muskeln lockern sich, Depressionen lösen sich auf. Kurzum: Sport ist zu einem Heilmittel für viele Wehwehchen geworden. Er soll
50 sogar das Leben verlängern.

Klar, dass sich bei so viel Bewegung wie von selbst die Traumfiguren einstellen, die uns die Modezeitschriften als Ideal präsentieren. Jedenfalls bei einigen Auserwählten.

Doch wie kommt es dann, dass trotz Aerobic und Fitnesstraining die Zahl der Fotomodelle eher klein bleibt, dass
55 viele Krankheiten eher auf dem Vormarsch sind statt hinwegtrainiert zu werden?

Manchmal führt Sport sogar überhaupt nicht zu mehr Lebenslust und Gesundheit. Muskelkater und Tennisarm,
60 Knochenbrüche und andere Verletzungen verleiden mancher Sportskanone die Freude an ihrem Tun. Ganz zu schweigen von bleibenden Schäden.

Und was passiert mit den Menschen, die keinen Spaß am Sport finden können? Die nach einem opulenten Mahl lie-
65 ber ein gutes Buch lesen oder angenehme Musik hören als durch den Wald zu rennen, um die dazugewonnenen Pfunde schnellstens wieder los zu werden?

Ginge es nach der Meinung der Mehrzahl der Mediziner und vieler Sportsfreunde, dann hätten diese Menschen ei-
70 ne kürzere Lebenserwartung, wären öfter krank, wären gesellschaftlich weniger akzeptiert aufgrund ihres dem allgemeinen Ideal widersprechenden Aussehens und trügen schwer an den Lasten ihrer kiloschweren Körper.

Der vor Zeiten verstorbene britische Premierminister
75 Winston Churchill, der bekanntlich sehr alt geworden ist und als ein Liebhaber guten Essens und Trinkens bekannt war, soll auf die Frage, was er angestellt habe, um so alt zu werden und dabei gesund zu bleiben, geantwortet haben: „No sports!" (Kein Sport).

von Hans-Jürgen Hantschel

Beispiel: **0**

Wie beurteilt Hans-Jürgen Hantschel zu starke sportliche Betätigung infolge Selbstüberschätzung?

Lösung:

negativ/skeptisch
X

Wie beurteilt der Autor:

1. das heutige Schlankheits- und Fitnessideal?
2. die Ansicht früherer Zeiten, Leibesfülle sei ein Zeichen für Wohlstand und gutes Leben?
3. die soziale Rolle der Sportvereine?
4. die Bedeutung, die dem Sport heute von der Medizin zugewiesen wird?
5. ein Leben ohne Sport?

Frage	positiv	negativ/skeptisch
0		X
1		
2		
3		
4		
5		

15 Min   ➤ Lesen Sie den Text und wählen Sie bei den
1 Text   Aufgaben 1–10 das Wort (A, B, C, D), das in die Lücke passt.
250 Wörter ➤ Es gibt jeweils nur eine richtige Lösung.
10 Punkte

Blutiger Kampf um einen Parkplatz
Ex-Manager und Monteur schlagen sich gegenseitig krankenhausreif

Frankfurt am Main. Blutig endete gestern *0* ____ der Streit zweier Autofahrer um einen Parkplatz am Rande der Frankfurter Innenstadt. Damit *1* ____, so ein Sprecher der Polizei, ein neuer Höhepunkt erreicht, *2* ____ die Auseinandersetzungen
5 und Streitereien zwischen Parkplatzsuchenden in dem mit abgestellten Autos chronisch überfüllten Viertel angeht. Fünfhundert Parkplätze stehen achthundert polizeilich gemeldeten Anwohnerfahrzeugen gegenüber, nicht mitgezählt die Wagen aus anderen Vierteln und die von Besuchern.
10 Zu der gestrigen Auseinandersetzung kam *3* ____, als der 62-jährige Ex-Manager und Golfspieler Heinz P. seinen BMW vor seiner Wohnung in *4* ____ Platanenstraße abstellen wollte und sich auf der Suche nach einem Parkplatz befand. Gleichzeitig mit ihm *5* ____ der 46-jährige Monteur Axel D. aus der benach-
15 barten Ahornstraße den ersehnten Abstellplatz.
Der darauf folgende Streit, wer den Parkplatz als Erster gefunden habe und *6* ____ sei den Wagen dort abzustellen, eskalierte jedoch schnell zu einem Handgemenge, in *7* ____ Verlauf Heinz P. mit seinem Golfschläger auf seinen Rivalen einschlug.
20 Dieser verteidigte sich mit einer langen Rohrzange. *8* ____ die von Anwohnern alarmierte Polizei schließlich eingetroffen war, knieten beide Kontrahenten aus mehreren Wunden blutend vor ihren Wagen. Die verletzten Parkplatzrambos konnten nach ambulanter Behandlung im Krankenhaus wieder nach Hause ent-
25 lassen werden.
Nachbarn und Bekannte der Streithähne bezeichneten beide als friedliche, respektable Männer, die von niemandem als aggressiv oder gewalttätig eingeschätzt würden. Auch die Ehefrauen konnten sich den plötzlichen Zornesausbruch der beiden Män-
30 ner nicht erklären. *9* ____ Frau P. *9* ____ Frau D. hatte je zuvor ein böses Wort ihres Mannes über den Nachbarn gehört. Die Staatsanwaltschaft hat inzwischen *10* ____ beide ein gerichtliches Verfahren eingeleitet.

Beispiel: 0
A) abendlich
B) abends
X) Abend
D) spät

1
A) sei
B) war
C) ist
D) würde

2
A) das
B) welches
C) was
D) welche

3
A) jemand
B) man
C) etwas
D) es

4
A) der
B) die
C) dem
D) den

5
A) blickte
B) erspähte
C) schaute
D) erfand

6
A) berechtigt
B) zugelassen
C) erlaubt
D) befähigt

7
A) dem
B) den
C) deren
D) dessen

8
A) Als
B) Wenn
C) Indem
D) Da

9
A) Sowohl ... als auch
B) Zwar ... aber
C) Nicht nur ... sondern auch
D) Weder ... noch

10
A) gegen
B) für
C) ohne
D) zwischen

Hörverstehen 3 – Test 1
Schnell Informationen entnehmen

10 Min
1 Dialog
à 2 Min
15 Punkte

➤ Bitte lesen Sie zunächst die Aufgaben.
Hören Sie dann das Gespräch bei der Studienberatung für
ausländische Studenten **e i n m a l**.
➤ Lösen Sie bereits während des Hörens die Aufgaben.
Sind die Aussagen richtig oder falsch?
Bitte markieren Sie die entsprechenden Kästchen.

		Richtig	Falsch
0	Frau Schebestova wohnt in Prag.		X

		Richtig	Falsch
1	Frau Schebestova hat ihr Abitur in Musik und Philosophie gemacht.		
2	Sie hat die Mittelstufenprüfung hier in Deutschland gemacht.		
3	DSH heißt: Deutsche Sprachprüfung für den Hochschulzugang ausländischer Studienbewerber/-innen.		
4	Die DSH-Prüfung besteht aus vier Teilen.		
5	Die vier Aufgabenkomplexe sind immer miteinander kombiniert.		
6	Während des Hörens muss man sich Notizen machen.		
7	Zum Lesetext muss man Überschriften umformen.		
8	Die Grammatikprüfung besteht aus Präpositionen und Verben.		
9	Die DSH-Prüfung kann mehrmals wiederholt werden, solange man die Prüfungsgebühr bezahlt.		
10	Die Studentin will den Berater später noch einmal anrufen.		

25 Min
1 Gespräch
à 10 Min
15 Punkte

➢ Sie hören eine Radiosendung. Ein Moderator spricht mit drei Gästen über das Thema „Klonen von Menschen". Zu diesem Text sollen Sie zehn Aufgaben lösen.
Lesen Sie zuerst die Aussagen 1–10 und das Beispiel.
➢ Hören Sie dann den Text zunächst einmal ganz.
➢ Hören Sie ihn anschließend noch einmal in Abschnitten – ein Ton zeigt Ihnen an, wann ein neuer Abschnitt beginnt.
➢ Kreuzen Sie während oder nach dem zweiten Hören an, wer die Aussage gemacht hat.
➢ Beachten Sie: Die Reihenfolge der Aussagen muss nicht der Reihenfolge im Text entsprechen.

Beispiel:

Wer sagt das?

		Moderatorin	Frau Dr. Smail	Herr Dr. Rattko	Bischof Kaiser
0	Das Schaf Dolly ist ein identisches Abbild seiner Mutter.	X			
1	Beim Klonen werden Zellkerne in Eizellen verpflanzt.				
2	Man muss sich selbst eine Meinung zum Thema Klonen bilden.				
3	Durch das Klonen haben Leute, die unfruchtbar sind, eine Chance eigene Kinder zu bekommen.				
4	Jedes menschliche Lebewesen hat ein Anrecht auf Leben.				
5	Man sollte die Fortpflanzung der Menschen nicht manipulieren.				
6	Eltern wünschen sich oft, die eigenen Kinder sähen ihnen ähnlich.				
7	Man darf nicht fragen: Wem schadet Klonen?				
8	Abtreibung nutzt auch der Gesellschaft.				
9	Der Mensch kann die Ehrfurcht vor dem Leben zurückgewinnen.				
10	Man darf nicht auf die Mittel der modernen Medizin verzichten.				

Wer sagt das?

		Moderatorin	Frau Dr. Smail	Herr Dr. Rattko	Bischof Kaiser
0	Das Schaf Dolly ist ein identisches Abbild seiner Mutter.	X			
1	Beim Klonen werden Zellkerne in Eizellen verpflanzt.				
2	Man muss sich selbst eine Meinung zum Thema Klonen bilden.				
3	Durch das Klonen haben Leute, die unfruchtbar sind, eine Chance eigene Kinder zu bekommen.				
4	Jedes menschliche Lebewesen hat ein Anrecht auf Leben.				
5	Man sollte die Fortpflanzung der Menschen nicht manipulieren.				
6	Eltern wünschen sich oft, die eigenen Kinder sähen ihnen ähnlich.				
7	Man darf nicht fragen: Wem schadet Klonen?				
8	Abtreibung nutzt auch der Gesellschaft.				
9	Der Mensch kann die Ehrfurcht vor dem Leben zurückgewinnen.				
10	Man darf nicht auf die Mittel der modernen Medizin verzichten.				

Schriftlicher Ausdruck 3 – Test 1

Etwas berichten, Meinung äußern

70 Min
1 Brief/Referat
200–250 Wörter
20 Punkte

➢ Wählen Sie aus den folgenden Themen 1A, 1B, 1C eines aus. Sie haben dazu fünf Minuten Zeit.
➢ Gehen Sie dann zu der entsprechenden Aufgabe.

1A:
Leserbrief

Thema:
Schlafbedürfnis

Sie sollen auf eine Zeitungs-meldung hin einen Leser-brief schreiben. Sagen Sie Ihre Meinung dazu, wie Schlafstörungen zu behe-ben sind.

1B:
Persönlicher Brief

Thema:
Hausmüll

Ein Freund schreibt Ihnen, wie an seinem Wohnort mit Hausmüll verfahren wird. Er bittet Sie um Information, wie bei Ihnen damit umge-gangen wird.

1C:
Referat

Thema:
Glaubwürdigkeit der Medien

Sie sollen die Glaubwürdig-keit der Medien in Deutsch-land mit der in Ihrem Hei-matland vergleichen. Ein Schaubild informiert Sie.

Schriftlicher Ausdruck 3 – Test 1 A

Einen Leserbrief schreiben

Im Oktober stand folgende Meldung in der Zeitung:

Deutsche schlafen immer weniger

Nürnberg (ps). Die durch-schnittliche Schlafmenge in der Nacht habe in den letzten zwei Jahrzehnten
5 um 30 Minuten abgenom-men, erklärte der Vorsit-zende der Deutschen Ge-sellschaft für Schlafforr-schung und Schlafmedizin,
10 Professor Jörg Hermann Peter. Im Durchschnitt werde zwar acht Stunden geschlafen – aber Ältere schlafen deutlich weniger.
15 Beruflicher Stress, Schicht-arbeit, flexible Arbeitszei-ten und Medikamente, aber auch das Fernsehen mit seinem 24-Stunden-
20 Programm seien dafür ver-antwortlich zu machen. Rund 800.000 Deutsche litten ständig unter Schlaf-störungen und seien drin-
25 gend behandlungsbedürf-tig. Fünf Prozent der Bevölkerung seien starke Schnarcher mit Apnoen, al-so Atmungsaussetzern, die
30 das Risiko von Herz-Kreis-lauferkrankungen und In-farkten deutlich erhöhen.

➢ **Schreiben Sie einen Leserbrief an die Zeitung und gehen Sie auf folgende Punkte ein:**

- Warum Sie schreiben
- Wieviel Schlaf Sie täglich brauchen
- Wie die Schlafgewohnheiten in Ihrem Heimatland sind
- Warum die Folgen von Schlafstörungen so gefährlich sind
- Was Sie gegen Schlafstörungen empfehlen.

➢ **Schreiben Sie etwa 200–250 Wörter.**

Achtung! Es ist nicht erforderlich, eine Adresse anzugeben. Achten Sie darauf, dass Sie die Sätze sinnvoll miteinander verbinden.

Ein Freund schreibt Ihnen folgende Zeilen:

Wiesbaden, den 4. Oktober 1998

Liebe .... /Lieber .... ,

hoffentlich bist du mir nicht böse, weil ich so lange nichts von mir hören ließ. Aber wir sind endlich in unser eigenes Haus eingezogen. Du kannst dir vorstellen, dass es da viel zu tun gab.

Wir fühlen uns schon recht wohl in der neuen Umgebung, das Einzige, an das wir uns noch gewöhnen müssen, sind unsere vier Mülltonnen. Jawohl, du hast richtig gelesen: vier. Eine Tonne für Bio-Müll, eine für normalen Hausmüll, eine für Sondermüll und eine für Altpapier. Es ist gar nicht so einfach, einen Platz dafür zu finden. Zum Glück habe ich eine Garage. Den Wagen parke ich jetzt eben auf der Straße.

So, ich schließe für heute. Ich muss schnell die Mülltonnen rausstellen, sonst werden sie nicht geleert. Und dabei zahle ich doch eine ganze Menge für die Müllabfuhr. Bis bald also

dein Leon

➤ **Schreiben Sie Ihrem Freund und sagen Sie, was Sie von Mülltrennung halten. Gehen Sie dabei auf folgende Punkte ein:**

- Bedanken Sie sich für den Brief und schreiben Sie, wie es Ihnen gerade geht
- Erklären Sie, wie bei Ihnen der Hausmüll gesammelt wird
- Erläutern Sie das Verhältnis Ihrer Landsleute zu Müll
- Diskutieren Sie Vor- und Nachteile von Mülltrennung
- Beschreiben Sie, wie der ideale Umgang mit Hausmüll sein sollte.

➤ **Schreiben Sie etwa 200–250 Wörter.**

Achtung! Achten Sie darauf, dass Sie die Sätze sinnvoll miteinander verbinden.

Wem glaubt man mehr?

Von je 100 Befragten glauben, dass wahrheitsgetreu berichten:

Tageszeitungen	**65%**
Öffentlich-rechtliches Fernsehen	**64%**
Öffentlich-rechtlicher Rundfunk	**62%**
Privater Hörfunk	**43%**
Privates Fernsehen	**41%**
Zeitschriften/Illustrierte	**24%**

Quelle: p+b Verlag

➤ **Vergleichen Sie mit Hilfe des Schaubildes die Glaubwürdigkeit der Medien in Deutschland und ihrem Heimatland.**

➤ **Arbeiten Sie das Referat schriftlich aus.**

➤ **Gehen Sie dabei auf die folgenden 5 Punkte ein:**

- Beginnen Sie mit der Begrüßung der Zuhörer, stellen Sie sich vor und geben Sie einen Überblick über den Aufbau Ihres Referates

- Fassen Sie die Ergebnisse des Schaubildes zusammen

- Wie ist die Glaubwürdigkeit der Medien in Ihrem Land?

- Welchem Medium trauen Sie am wenigsten, welchem am meisten und warum?

- Wie kann man sich versichern, dass Medien wahrheitsgetreu berichten?

➤ **Schreiben Sie etwa 200–250 Wörter.**

Achtung! Bei der Bewertung Ihres Referates wird nicht nur auf die Korrektheit Ihres Schreibens geachtet. Es ist genauso wichtig, wie Sie Ihre Abschnitte und Sätze miteinander verbinden.

20	Min	➤	Herr Müller organisiert einen „Rauchentwöhnungstreff". Er lädt dazu unter
2	Briefe		anderem einen Freund und eine Psychologin ein.
120	Wörter	➤	Füllen Sie die Lücken 1–10 in dem zweiten Brief an Frau Ehrhardt.
10	Punkte		Greifen Sie dabei auf die Informationen aus dem ersten Brief zurück.
			In jede Lücke gehören ein oder zwei Wörter.

Beispiel: **0** = Sehr geehrte

Lieber Ralf,

endlich hat es geklappt, unser Rauchentwöhnungstreff wird laufen. Ich fände es toll, wenn du, wie du mal zugesagt hast, mitmachen würdest.

Du weißt, ich habe schon versucht mit dem Rauchen aufzuhören, aber ich habe es bis heute nicht geschafft. Und so wie mir geht es ja vielen. Deshalb wollen auch so viele Leute mitmachen.

Du hast es gepackt aufzuhören und deshalb glaube ich, du könntest uns sicher mit Tipps helfen.

Ich weiß, du hast gerade viel um die Ohren. Gib dir trotzdem einen Stoß, es geht um eine gute Sache!

Kommst du? Gib mir bitte Bescheid. Wir treffen uns am Donnerstag Abend um sieben im Hotel Fumo.

Bis dann
dein Markus

---

0 __Sehr geehrte__ Frau Ehrhardt,

Endlich ist es mir *1* _____, den bereits angekündigten Rauchentwöhnungstreff zu organisieren. Ich würde mich sehr *2* _____, wenn Sie wie besprochen teilnehmen könnten.
Wie Sie wissen, sind alle meine *3* ____ mit dem Rauchen aufzuhören gescheitert. Und so geht es vielen. Und das ist ja schließlich der *4* _____ für die Teilnahme so vieler Menschen an diesem Treff.
In Ihrem Buch „Stop Smoking" schildern Sie, wie Sie es *5* _____ haben, das Rauchen aufzugeben. Als Fachfrau könnten Sie uns sicher eine große *6* _____ sein.
Sehr geehrte *7* _____ Ehrhardt, ich weiß, Sie sind zur *8* _____ sehr beschäftigt. Dennoch würde ich mich freuen, wenn ich Sie von der Wichtigkeit Ihrer Teilnahme für uns an diesem Treff *9* _____ hätte.
Bitte geben Sie mir Bescheid, *10* _____ Sie zu unserem ersten Treffen am Donnerstagabend um 19 Uhr kommen können.

Mit freundlichen Grüßen
Ihr *Markus Fröhlich*

Mündlicher Ausdruck 3 – Test 1
Bildbeschreibung, über ein Thema sprechen

7 Min   ➤ Sprechen Sie bitte so ausführlich wie möglich über die beiden Fotos.

2 Bilder   ➤ Sie sollen etwa 7 Minuten sprechen.

15 Punkte

- Beschreiben Sie zuerst die Dinge und Personen sowie das Geschehen auf den Fotos, eine ausführliche Bildbeschreibung ist nicht nötig

- Finden Sie dann ein gemeinsames Thema für beide Fotos und formulieren Sie dazu eine Frage von allgemeinem Belang und/oder

- Vergleichen Sie die dargestellten Situationen mit den Verhältnissen in Ihrem Heimatland und/oder

- Berichten Sie von persönlichen Erfahrungen.

7 Min	➤ An Ihrer Sprachschule soll eine neue Lehrerin oder ein neuer Lehrer für Deutsch eingestellt werden. Die zwei Personen, die unten auf den Fotos abgebildet sind, haben sich beworben.
2 Bilder	
15 Punkte	

➤ Wählen Sie zusammen mit Ihrem Partner/Ihrer Partnerin die Person aus, die Ihnen am geeignetsten erscheint.

- Schauen Sie sich zunächst die Fotos an und bilden Sie sich selbst eine Meinung

- Diskutieren Sie anschließend mit Ihrem Partner/Ihrer Partnerin Ihre Meinung

- Kommen Sie am Ende zu einer gemeinsamen Entscheidung

➤ Diskutieren Sie etwa 7 Minuten.

Melanie Rothaut
24 Jahre, studierte Germanistik und Romanistik (Französisch, Spanisch) an der Universität Heidelberg, Magisterexamen, lebte 6 Monate in Madrid, 4 Monate in Paris, Berufserfahrung: 6 Monate, Sprachlehrerin bei Lingua Europe in Paris, singt auch in einer Rock-Band

Eva Kastner
36 Jahre, verheiratet, 3 Kinder, Lehramtsstudium für Deutsch, Englisch und Geschichte an der Universität München,
5 Jahre Lehrerin an einem Gymnasium in München, danach Hausfrau und Mutter, möchte wieder als Lehrerin arbeiten

Lösungen – Prüfung 3

Leseverstehen 3 – Test 1

1 –
2 F
3 E
4 C
5 B

Leseverstehen 3 – Test 2

1. Broca-Region
2. für das Verstehen
3. der rechten Gehirnhälfte
4. die beiden Sprachzentren, logisches Denken, Rechnen, Regeln
5. Aktivierung
6. Kernspintomografie
7. Wegbeschreibungen
8. Grammatik und Vokabular
9. Muttersprache
10. zweisprachig aufgewachsen sind/aufwuchsen

Leseverstehen 3 – Test 3

Frage	positiv	negativ/skeptisch
1		X
2		X
3	X	
4		X
5	X	

Leseverstehen 3 – Test 4

1 A)
2 C)
3 D)
4 A)
5 B)
6 A)
7 D)
8 A)
9 D)
10 A)

Hörverstehen 3 – Test 1

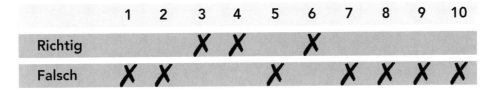

	1	2	3	4	5	6	7	8	9	10
Richtig			X	X		X				
Falsch	X	X			X		X	X	X	X

Hörverstehen 3 – Test 2

Wer sagt das?	Mode-ratorin	Frau Dr. Smail	Herr Dr. Rattko	Bischof Kaiser
1		X		
2	X			
3		X		
4			X	
5				X
6			X	
7			X	
8			X	
9				X
10		X		

Schriftlicher Ausdruck 3 – Test 2

1. gelungen
2. freuen
3. Versuche
4. Grund
5. geschafft
6. Hilfe
7. Frau
8. Zeit
9. überzeugt
10. ob

Transkriptionen – Prüfung 3

Hörverstehen 3 – Test 1
Bei der Studienberatung

Berater: So, wer ist der Nächste? – Ja, bitte kommen Sie herein. – Guten Tag.

Studentin: Guten Tag.

Berater: Bitte nehmen Sie doch Platz. – Was kann ich für Sie tun?

Studentin: Ja, also, ich heiße Magdalena Schebestova und komme aus Prag. Ich wohne zur Zeit als Au-pair-Mädchen in Kronberg. Später möchte ich aber in Frankfurt studieren und da möchte ich fragen, wie das geht.

Berater: Was haben Sie denn für einen Schulabschluss?

Studentin: Hier ist mein Abiturzeugnis, hier ist meine Studienbescheinigung von der Uni Prag: vier Semester Musik und Philosophie.

Berater: Aha. Haben Sie auch einen Nachweis über Ihre Deutschkenntnisse?

Studentin: Ja, ich habe schon in Prag am Goethe-Institut Deutsch gelernt und die Mittelstufenprüfung gemacht. Das Zertifikat, das habe ich hier.

Berater: Gut, dann brauchen Sie nur noch die DSH-Prüfung. Wenn Sie die bestehen und wir Ihre tschechischen Leistungsnachweise von der Uni Prag anerkennen, dann können Sie sich einschreiben.

Studentin: DS – was?

Berater: DSH. Das ist die Deutsche Sprachprüfung für den Hochschulzugang ausländischer Studienbewerber und -bewerberinnen.

Studentin: Aha. Darf ich Sie fragen, was da in der DSH-Prüfung geprüft wird?

Berater: Die Prüfung besteht aus vier Aufgabenkomplexen, die untereinander auch thematisch kombiniert sein können. Die Komplexe sind: Hörverstehen, Leseverstehen, Textproduktion und eine Grammatikprüfung speziell zur Wissenschaftssprache.

Studentin: Also, ja. Und wie geht das genau?

Berater: Den Hörtext müssen Sie anhand von Notizen, die Sie sich während des Hörens machen, rekonstruieren.

Studentin: Gut.

Berater: Zum Lesetext müssen Sie zum Beispiel Überschriften zu einzelnen Abschnitten formulieren. Die Grammatikprüfung besteht aus Umformungen, z.B. Nominalphrasen in Nebensätze usw. – und Einsetzübungen, z.B. Präpositionen bei Verben.

Studentin: Noch eine Frage: Was passiert, wenn ich die Prüfung nicht schaffe? Und wie hoch ist die Prüfungsgebühr?

Berater: Die DSH-Prüfung darf einmal wiederholt werden. Eine Prüfungsgebühr erheben wir nicht.

Studentin: Ja, dann herzlichen Dank für Ihre Information.

Berater: Gern geschehen. Wenn Sie noch Fragen haben, rufen Sie mich einfach an. Hier ist meine Nummer.

Studentin: Danke und auf Wiedersehen.

Hörverstehen 3 – Test 2
Klonen von Menschen

Moderatorin: Guten Morgen, verehrte Zuhörerinnen und Zuhörer. In unserer heutigen Sendung geht es um das Thema Klonen. Seitdem es Dolly, das schottische Schaf gibt, das ein identisches Abbild seiner Mutter ist, ist dieser Begriff des Klonens in aller Munde und viele fragen sich, wann wird es den ersten geklonten Menschen geben. Ich begrüße hier bei mir im Studio Frau Dr. Smail, guten Tag, Mitglied der Wissenschaftlerkommission, die im Auftrag der Bundesregierung eine Stellungnahme dazu erarbeitet hat. Daneben begrüße ich den Diplombiologen Herrn Dr. Rattko, guten Morgen, sowie als Vertreter der katholischen Kirche Herrn Bischof Kaiser. Grüß Gott.

Moderatorin: Frau Dr. Smail, Sie waren Mitglied einer Expertenkommission, die im Auftrag der Bundesregierung eine Stellungnahme zum Thema Klonen erarbeitet hat. Bevor wir über Ihre Stellungnahme und deren Ergebnisse sprechen, wäre es vielleicht ganz sinnvoll einmal zu erklären, was denn genau beim Klonen passiert.

Frau Dr. Smail: Ja, ich will einmal versuchen diesen recht komplizierten Vorgang so darzustellen, dass ihn alle verstehen. Grob gesagt versteht man unter Klonierung die Vervielfachung einer bestimmten Zelle beziehungsweise eines Organismus. Hierzu werden die Zellkerne dieser Körperzellen in entkernte und unbefruchtete Eizellen transferiert. Dort wachsen sie zu einem identischen Organismus der Spenderzelle heran. So kann beispielsweise aus einer Leberzelle eine neue Leber, aus einer anderen bestimmten Zelle ein ganz neuer Mensch heranwachsen, der identisch ist mit dem, von dem die Zelle abstammt. Das ist jetzt natürlich stark vereinfacht, aber dennoch funktioniert es im Prinzip genau so.

Moderatorin: Und ist denn diese Technik schon so weit, dass man in Kürze damit rechnen muss, einen geklonten Menschen vorgestellt zu bekommen?

Frau Dr. Smail: Nein, gottlob noch nicht. Aber die erfolgreiche Reproduktion eines Schafes lässt befürchten, dass die Genwissenschaft bald in der Lage sein wird auch einen identischen Menschen zu reproduzieren.

Moderatorin: Die von der Bundesregierung eingesetzte Wissenschaftlerkommission, der Sie ja auch angehörten, kam zu dem Schluss, dass das Klonen von Menschen ethisch nicht mit den Prinzipien der Menschenwürde und rechtlich nicht mit dem in Deutschland geltenden Embryonenschutzgesetz vereinbar ist. Andererseits haben Sie es aber selbst bereits angesprochen, diese Reproduktionstechnik könnte doch auch durchaus von Nutzen für den Menschen sein. Jemandem, der eine neue Leber braucht, könnte man dieses neue Ersatzorgan, das mittels Klonen aus seiner eigenen noch funktionierenden Leberzelle entstanden ist, zur Verfügung stellen.

Frau Dr. Smail: Da haben Sie ganz Recht. Das wäre, oder das ist, besser gesagt, das ideale Ersatzorgan. Es finden keine Abstoßungsprozesse statt, denn der Körper bekommt ja sein „eigenes" neues Organ. Es gäbe beim Klonieren von Menschen noch weitere ganz entscheidende Vorteile. Ich möchte hier nennen zum Beispiel die Unfruchtbarkeit – die wäre dann überhaupt kein Problem mehr. Ebenso könnten genetische Krankheiten vermieden werden. Das alles spricht für Klonieren. Was aber eben dagegen spricht, und da war sich die Kommission einig, ist die Tatsache, dass der Mensch, entschuldigen Sie bitte das entsetzliche Wort, eine geschützte Selbstzwecklichkeit besitzt. Nicht umsonst steht im Grundgesetz, die Würde des Menschen ist unantastbar. Beim Klonieren aber wird der Mensch als ein Mittel zum Zweck hergestellt und benutzt. Und als Mittel zum Zweck dient dann eben ein Mensch, wenn er einen anderen Menschen ersetzen soll. Wenn er für ihn als Organ- oder Gewebespender benutzt wird. Wenn er als Kind die genetische Wiederholung eines anderen Menschen sein soll.

Dr. Rattko: Ja, ja, ja, Frau Kollegin, Frau Kollegin, entschuldigen Sie, dass ich Sie hier unterbreche. Aber was wäre denn so schlecht daran, wenn ein Kind die genetische Wiederholung seiner Mutter oder seines Vaters wäre? Nun ja – wünschen sich denn viele Eltern nicht, der Sohn, die Tochter sähe einem der beiden ähnlich? Also ich frage mich, wem würde beim Klonen ein Schaden zugefügt? Selbst wenn solch ein reproduzierter Mensch irgendeine Art der Diskriminierung erfahren würde, was ich mir übrigens nicht vorstellen kann, könnte das für diesen Menschen doch auf keinen Fall schwerwiegender sein, als wenn er überhaupt nicht auf dieser Welt wäre.

Moderatorin: Herr Dr. Rattko, erlauben Sie, dass ich Sie zuerst unseren Hörern und Hörerinnen vorstelle. Also, Sie sind Diplombiologe und arbeiten im Auftrag einer großen Firma in der Genforschung.

Dr. Rattko: Das ist korrekt.

Moderatorin: Aber nun zurück zu dem, Herr Dr. Rattko, was Sie gerade sagten. Habe ich Sie richtig verstanden, wenn ich aus Ihrer Äußerung schließe, Sie sehen keine Gefahr in dieser künstlichen Reproduktion eines Menschen mittels Klonen?

♪♪♪

Dr. Rattko: Nein, nein, nein, nein, nein, da interpretieren Sie mich falsch. Denn natürlich sehe auch ich, dass diese Technik auch die große Gefahr des Missbrauchs im Umgang mit solch künstlich gezeugten Wesen in sich birgt. Wenn etwa nur darum Menschen gezüchtet werden, um sie zu Ersatzteillagern für Knochen und Organe zu machen. Oder zu einer Reservebank für Gewebe, zu Experimentierobjekten der Wissenschaft. Oder zu Doppelgängern prominenter Personen, also zu deren Schutz. Und hier bin ich natürlich ein ganz entschiedener Gegner des Klonens von Menschen. Jedes menschliche Lebewesen hat ein Anrecht auf Leben.

Moderatorin: Aber, aber wie sollen wir dann Ihre Aussage von vorhin verstehen?

Dr. Rattko: Nun, Sie hatten vorhin meiner Meinung nach einfach den falschen Frageansatz, als Sie danach fragten, wem das Klonen schadet. Dagegen wehre ich mich. Denn objektiv gesehen schadet Klonieren eben nicht. Es ist – nicht mehr, nicht weniger – eine Art der künstlichen Befruchtung und die ist ethisch zulässig. Und jener Mensch, aus dessen Erbgut neues Leben entsteht, hatte sich in dem Augenblick, als ihm dieses Erbgut entnommen wurde, damit und mit den Folgen einverstanden erklärt. Hier wird also außer durch den von mir bereits angesprochenen Missbrauch nirgends Schaden angerichtet. Hier muss man doch tatsächlich vielmehr vom Nutzen sprechen. Ganz im Gegensatz übrigens zu den vielen Abtreibungen, die tagtäglich in diesem Land vorgenommen werden. Nein, es ist aus wissenschaftlicher und natürlich gesellschaftspolitischer Sicht einfach falsch zu fragen, wem schadet Klonen. Und deshalb sollten wir in einer objektiven Diskussion meiner Meinung nach eben von einem anderen Frageansatz ausgehen. Wir müssen nämlich fragen, wem könnte das Klonen von Menschen nutzen? Und erst dann, wenn wir diese Frage beantwortet haben, dürfen wir uns ein Urteil über die Problematik des Klonens von Menschen erlauben.

Moderatorin: Herr Bischof Kaiser, wie stehen Sie als Vertreter der Kirche zu dieser Aussage Ihres Vorredners?

Bischof Kaiser: Die Antwort darauf fällt mir gar nicht leicht. Herr Rattko hat ja schon Recht mit dem, was er sagte. Aber natürlich halte ich ebenso wie Frau Doktor Smail das Klonieren für ethisch nicht vertretbar. Der Mensch ist Gottes Schöpfung und deshalb sollten wir diese Dinge auch ihren natürlichen Verlauf nehmen lassen.

Frau Dr. Smail: Entschuldigen Sie, Herr Bischof, dass ich Sie da unterbreche. Aber ich finde, das ist ein bisschen zu blauäugig, zu idealistisch und weltfremd. Denn das würde ja heißen, dass man auf die moderne Medizin verzichtet. Auf Ultraschall bei Schwangeren, auf Krebsvorsorgeuntersuchungen gefährdeter Erwachsener, ja und natürlich auf die künstliche Befruchtung.

♪♪♪♪

Bischof Kaiser: Nun, auch ich bin natürlich ein Befürworter einer modernen Medizin, deren Ziel es ist, Leben zu erhalten. Ich bin aber andererseits tatsächlich gegen jede Form der Abtreibung und natürlich auch gegen jede Form der künstlichen Befruchtung.

Dr. Rattko: Na, sehen Sie, hier sind wir wieder beim richtigen oder falschen Frageansatz. Wem nutzt eine Abtreibung, wem schadet sie? Auf jeden Fall schadet sie dem ungeborenen Wesen. Aber andererseits nutzt sie der abtreibenden Mutter, die als Alleinerziehende nicht weiß, wie sie ihr Kind großziehen soll. Sie nutzt den abtreibenden Eltern, die ansonsten ein mongoloides Kind ein Leben lang zu pflegen hätten, sie nutzt der abtreibenden Gesellschaft, die ihre zur Verfügung stehenden Mittel, sprich materielle Mittel, anderweitig nutzen kann. Und wem schadet eine künstliche Befruchtung, wem nutzt sie? Ganz sicher nutzt sie den Eltern, die diesen großen Kinderwunsch haben und viel Liebe geben wollen. Und sie nutzt der Gesellschaft, die damit den sogenannten Generationenvertrag, also die Sicherung der Renten, erfüllen kann.

Bischof Kaiser: Nun, es ist nun mal mein Credo, das ist das Credo meines Glaubens, dass man diese natürlichen Vorgänge ihren natürlichen Lauf nehmen lassen sollte. Das ist eben etwas Gottgewolltes. Andererseits bin ich aber nicht so verbohrt, so aus der Welt, um nicht zu sehen, dass künstliche Befruchtung tatsächlich dem Einzelnen durchaus Gutes bringen kann. Auch einem auf diese Art und Weise ins Leben gekommenen Kind, wenn es dann in einer familiären Atmosphäre voller Liebe heranwachsen wird. Und das kann ja wirklich nur etwas Gutes sein.

Moderatorin: Herr Bischof, um das Gespräch auf das Klonen von Menschen zurückzubringen, Sie stimmen doch sicher damit überein, dass es auf dem Weg des Forschens kein Zurück mehr gibt. Dass ganz sicher irgendwo in der Welt ein Forscher, oder natürlich eine Forscherin, daran arbeitet, den geklonten Menschen zu erschaffen. Das scheint mir so sicher, entschuldigen Sie bitte, wie das Amen in der Kirche.

Bischof Kaiser: Ganz richtig. Diese neue Entwicklung in der Fortpflanzungsmedizin, die mit dem Schaf Dolly eingeläutet wurde, lassen den Schluss zu, dass wir das Leben oder das Lebenerschaffen – sei es des Menschen, sei es des Tieres – als Ergebnis, als Produkt technisch lösbarer Aufgaben sehen. Wir laufen damit große Gefahr die Ehrfurcht vor dem Leben und insbesondere die Achtung vor der Würde des Menschen zu verlieren. Aber andererseits könnte das immer detailliertere Wissen über das Entstehen von Leben uns zu einer Grenze führen, an der wir sozusagen wissenschaftlich erkennen müssen, dass wir auf die entscheidende Frage, nämlich was Leben nun wirklich ist, keine Antwort zu geben vermögen. Und das könnte dann der Augenblick sein, in dem wir uns wieder unserer Grenzen bewusst werden und wieder die Ehrfurcht vor dem Leben gewinnen, die uns doch heute manchmal verloren gegangen scheint.

Moderatorin: Liebe Zuhörerinnen, liebe Zuhörer, ein machtvolles Schlusswort eines Kirchenmannes: Klonen als eine Chance die Ehrfurcht des Menschen vor dem Leben zurückzugewinnen. Klonen ein Mittel, der Menschheit den lang versprochenen Frieden, die gegenseitige Achtung zu bringen. Tja, unsere Sendezeit ist leider abgelaufen, mir bleibt nur Sie in diesem Morgen zu entlassen mit Fragen und Antworten, deren Richtigkeit Sie für sich selbst beantworten müssen. Vielen Dank für Ihr Interesse und Aufwiederhören.

Leseverstehen 4 – Test 1
Schnell Informationen entnehmen

10 Min	➤ Suchen Sie für fünf Personen einen Partner aus.
8 Texte	Welche der 8 Personen wählen Sie für wen?
200 Wörter	➤ Es gibt jeweils nur eine richtige Lösung.
5 Punkte	➤ Es ist möglich, dass es nicht für jede Person einen passenden Partner gibt.
	Markieren Sie in diesem Fall das Kästchen so: $\boxed{-}$.

Beispiele: Sie suchen einen Partner für
einen Franzosen, der in Deutschland leben möchte. Lösung: $\boxed{H}$
eine junge Frau, die leidenschaftlich gern Golf spielt. Lösung: $\boxed{-}$

Sie suchen einen Partner/eine Partnerin für
1. einen kinderlieben 35-jährigen Mann, der Wassersport mag
2. eine kulturliebende Dame von Ende 30, die italienisches Essen liebt
3. eine gebildete junge Frau, die leidenschaftlich gern tanzt
4. eine attraktive Akademikerin mit dem Sternzeichen Fisch, die gern Fahrrad fährt
5. einen naturliebenden und gebildeten Rentner.

Liebe geht durch den Magen
Begeisterter Hobbykoch und Fein-schmecker (40 Jahre alt) sucht gebildete, attraktive und aktive Dame mittleren Alters mit Sinn sowohl für Romantik als auch für die Realität, die Lust zum Reisen kreuz und quer durch Südeuropa hat und außer Essen und Trinken für Kunst und (klassische) Musik zu begeistern ist. Zuschriften unter XYZ 15867 an diese Zeitung.

Fisch sucht Fahrrad
Attraktive Akademikerin (28 Jahre), sportlich (Tennis, Schwimmen, Reiten), musikalisch (Jazz, Rock), tierliebend (3 Katzen, ein Hund), hat das Alleinsein satt. Suche passenden Partner: groß, stark, nicht zu alt, mit ähnlichen Interessen, der mich so nimmt, wie ich bin. Schreiben Sie an diese Zeitung unter ABC 15432.

Hallo Wandervogel!
Ich, jung gebliebene, aktive Rentnerin (60 Jahre), unternehme gern lange Wanderungen im Gebirge oder im Watt. Welcher gebildete Wandervogel mag mich begleiten? Er sollte so alt sein wie ich, ausdauernd und naturliebend sein und viel Intelligentes zu erzählen wissen. Und ein Gentleman mit guten Manieren muss er sein! Zuschriften unter ZBA 296712.

Nie mehr Tango solo!

Das wünscht sich tanzwütiger, sportlicher, aber eleganter 35-jähriger, dem zwar Zeit und Geld zum Tanzhobby nicht fehlen, wohl aber die temperamentvolle, schwungvolle Partnerin mit Stil, Bildung und Manieren. Sie sollte nicht über 1,75 m groß sein und viel Spaß und Ausdauer mitbringen. Zuschriften unter CDE 45678.

Papa gesucht!

Wir sind Sarah (4) und Jenny (6). Unsere junge und sehr hübsche Mutti (28) ist Zahnärztin und sucht einen Papi, der uns wirklich gern hat. Mutti sagt, er soll was im Kopf haben, groß und stark sein und auf unserem Segelboot im Sommer mit anpacken können. Mutti und wir sind manchmal sehr temperamentvoll und brauchen dann viel Zärtlichkeit, Verständnis und Geduld. Zuschriften an RTW 765432.

Hilfe! Mein Haus stürzt ein!

Ich, 42 Jahre jung, Rechtsanwalt, elegante Erscheinung, stolzer Besitzer eines 400 Jahre alten Fachwerkhauses, suche kräftige, aber attraktive Hobby-Heimwerkerin, die weiß, wie man tapeziert, streicht, elektrische Leitungen verlegt usw. Sie sollte auch Reisen und repräsentative Festlichkeiten mögen und gut organisieren können. Zuschriften unter UZR 564321 an diese Zeitung.

Unsportlicher Bücherwurm

Ende fünfzig, liest und spricht gern über Literatur, liebt das Theater und den Film und ist einem interessanten, kultivierten Gespräch nicht abgeneigt. Welche gleichaltrige kulturliebende Dame teilt meine Leidenschaft für das Schöne und das Geistige? Und findet Johann Wolfgang von Goethe, Friedrich Schiller und William Shakespeare aufregender als Boris Becker, Michael Schumacher und Franz Beckenbauer. Zuschriften an TRE 456987.

Parlez-vous Français?

Mein Hobby ist die französische Sprache. Welcher französische Mann, zwischen 40 und 50 Jahre jung, mit Bildung und guter Erziehung, will mich verwöhnen und herrliche Abende in französischer Sprache mit mir erleben?
Ich bin Anfang 40, Lehrerin von Beruf (Geografie und Französisch), bezeichne mich als attraktiv, mittelgroß, schlank, sportlich und aufgeschlossen. Schreiben Sie mir unter REW 205608 an diese Zeitung.

35 Min
1 Text
700 Wörter
10 Punkte

➤ Ihre Aufgabe ist es, die fehlenden Wörter grammatisch korrekt in die Textzusammenfassung einzusetzen.

➤ Lesen Sie dazu den folgenden Zeitschriftenartikel.

Von Einspännern, Fiakern und Kipferln
Wie Kaffee und süße Mehlspeisen nach Wien kamen

Wenn der Wiener ein Problem hat oder wenn er kein Problem hat, wenn er allein sein will oder wenn er Lust auf Gesellschaft verspürt, wenn er müde oder aufgeweckt ist, wenn er das philosophisch angehauchte Gespräch sucht oder wenn ihm
5 ganz einfach danach ist, dann geht er, so jedenfalls wird in Wien behauptet, in ein Kaffeehaus, um dort seinen Kaffee nicht bloß zu trinken, sondern zu zelebrieren.

Die Kaffeehauskultur gilt als fester Bestandteil des kulturellen Lebens in der österreichischen Bundeshauptstadt. Um die vier-
10 hundert Kaffeehäuser gibt es zur Zeit, um die Wende vom neunzehnten zum zwanzigsten Jahrhundert sollen es einmal viertausend gewesen sein. Der Charme dieser Wiener Institution, die Nostalgie, die beim Anblick der zum Teil fast hundertjährigen Einrichtung den Betrachter überfällt, steckt
15 auch Besucher aus anderen Ländern an.

Das Kaffeehaus war in Wien immer eng mit der Kultur verbunden. Zahlreiche Künstler und Schriftsteller wie Franz Grillparzer, Franz Werfel oder Robert Musil hatten ihre Stammplätze in ihrem Stammkaffeehaus, wo sie intellektuel-
20 le Gespräche führten oder ihren Kaffee schlürften und schrieben. Der Literat Alfred Polgar schrieb sogar eine „Theorie des Café Central". Die Zeit der großen Kulturdebatten in den Wiener Kaffeehäusern ist leider zu Ende gegangen, ihren Charme und ihre kulturelle Aura haben viele sich
25 aber bis heute bewahrt.

Doch wie hat alles angefangen mit der Kaffeehaustradition in Wien? Denn es ist doch der Kaffee keine ursprünglich österreichische Erfindung. Der Kaffee kam mit den Türken nach Wien, die im sechzehnten und siebzehnten Jahrhundert den
30 ganzen Balkan eroberten und bis vor die Tore Wiens vordrangen, dabei jedoch nicht nur ihre Schwerter, sondern auch ihre Kultur in den von ihnen eroberten Teil Südosteuropas mitbrachten. Und ein Teil dieser Kultur war der Kaffee.

Während der zweimonatigen zweiten türkischen Belagerung
35 Wiens im Jahr 1683 wurde die Stadt gemeinsam von den österreichischen Truppen Karls V. und denen des polnischen Königs Johann III. Sobieski verteidigt. Unter den polnischen Soldaten befand sich ein Mann namens Franz Georg Koschitzky, der für die österreichische Seite als Agent und Kundschafter arbeitete.
40 Er soll sich als Türke verkleidet immer wieder in das türkische Lager eingeschlichen haben, um Spionage zu betreiben. Dabei lernte er das dunkle, Geist und Kräfte anregende Getränk

kennen, das die Türken zu vielen Gelegenheiten tranken: den Kaffee.
45 Nach dem Sieg über die Türken stürmten die Österreicher das verlassene Lager und machten sich über die zurückgelassenen Lebensmittel und alles, was nicht niet- und nagelfest war, her. Mit den braun-schwarzen Kaffeebohnen konnten sie indessen nichts anfangen, sie wussten nicht, ob
50 sie zum Essen oder zum Heizen zu gebrauchen waren und Koschitzky, der den Kaffee ja bereits kannte, konnte sich in Ruhe bedienen.

Für seine Verdienste um Österreich erhielt er nach dem Krieg schließlich die Konzession das erste Kaffeehaus in Wien zu
55 eröffnen. So wurde der Kaffee in Wien zuerst hof- und dann gesellschaftsfähig und schließlich zum nicht mehr wegzudenkenden Teil Wiener Kultur. So jedenfalls wird die Geschichte des Kaffees in Wien erzählt.

Den Kaffee (in Wien betont man ihn stets auf der Endsilbe)
60 bekommt man heute in den verschiedensten Variationen: als Melange (halb Kaffee, halb Milch), als Brauner (mit wenig Milch), als Schwarzer (ohne Milch), als Einspänner (im Glas mit Schlagobers – wie die Schlagsahne in Österreich genannt wird – obenauf) oder als Fiaker (mit einem Schuss Kirsch-
65 wasser oder Rum). Viele weitere Variationen sind verbreitet.

Zum Kaffee gehören in Wien natürlich auch die süßen Mehlspeisen: Gebäck aus Mehl und Zucker hergestellt in den verschiedensten Geschmacksrichtungen. Diese Süßigkeiten stammen aus Arabien und kamen vermutlich im zwölften
70 Jahrhundert nach Wien, als die damaligen Herzöge der Babenberger, die damals regierten, sich mit byzantinischen Frauen verheirateten. Bis in das neunzehnte Jahrhundert durften sich jedoch nur die Fürsten an den köstlichen Süßigkeiten laben, erst dann – als die billigere Zuckergewinnung
75 aus der Zuckerrübe in Nordeuropa eingeführt wurde – erreichten die süßen Speisen alle Schichten des Volkes.

Ob allerdings die Vanillekipferln, ein weit über Österreich hinaus bekanntes Gebäck, von dem oben erwähnten Koschitzky kreiert worden sind, weiß heute niemand mehr.
80 Dass sie so aussehen wie der Halbmond auf der türkischen Fahne, mag man mit etwas Fantasie erkennen können. Dass Koschitzky damit die Türken demütigen wollte, indem er nach Herzenslust in den süßen Halbmond beißen konnte, ist wohl auch nur dem Bereich der Volkslegenden zuzuordnen.

Für den Wiener gibt es unzählig viele Gründe, ein Kaffeehaus zu besuchen. **0** ________ gilt daher als fester Bestandteil Wiener kulturellen Lebens. Zwar ist die Zahl der Kaffeehäuser in Wien von **1** ________ im Jahr 1900 auf etwa vierhundert zurückgegangen, die Besucher sind aber auch heute noch **2** ________ fasziniert. Besonders im letzten Drittel des neunzehnten und im ersten Drittel des zwanzigsten Jahrhunderts waren die Kaffeehäuser ein beliebter Treffpunkt von Künstlern und Literaten. Das literarische Werk **3** ________ beschäftigt sich sogar ausschließlich mit einem Kaffeehaus. Die Wiener Kaffeehaustradition begann mit den Verteidigungskriegen **4** ________, die im Jahr 1683 zum zweiten Mal vor den Toren Wiens standen. Ein Pole namens Koschitzky, der **5** ________ in österreichischen Diensten stand, spionierte im türkischen Lager herum und entdeckte auf diese Art und Weise den bis dahin in Nordeuropa unbekannten Kaffee. Nach dem Krieg soll Koschitzky für seine Verdienste **6** ________ haben. Die Süßspeisen, die zum Kaffee gern verzehrt werden, kamen vermutlich im zwölften Jahrhundert **7** ________. Die byzantinischen Prinzessinnen, die damals von den österreichischen **8** ________ geheiratet wurden, brachten das Gebäck aus ihrer Heimat mit. Doch erst im neunzehnten Jahrhundert, als es möglich wurde, **9** ________, durften alle Volksschichten die süßen Köstlichkeiten naschen. Ein Gerücht scheint aber zu sein, dass das Vanillekipferl mit **10** ________ an den Halbmond der türkischen Fahne erinnern soll.

0 Die Kaffeehauskultur

1 ....

2 ....

3 ....

4 ....

5 ....

6 ....

7 ....

8 ....

9 ....

10 ....

20 Min
1 Text
600 Wörter
5 Punkte

➢ Lesen Sie den folgenden Kommentar.
➢ Entscheiden Sie, ob der Autor sich positiv oder negativ/skeptisch zu einem der fünf Punkte äußert.
➢ Tragen Sie Ihre Lösungen in die Tabelle ein.

Wilhelm Tell und der Europa-Apfel

Wir alle kennen die Schweiz als Kletter- und Wintersportparadies. Die Berge der Schweizer Alpen sind die höchsten in Europa und die Berglandschaft ist von einzigartiger Schönheit. Ein Paradies im Sommer wie im Winter, das
5 zum Wandern, Klettern und Skifahren oder zum Erholen und Genießen einlädt. Mit viel frischer Luft, die den von Smog und Abgasen geplagten Städter durchatmen lässt. Seltene Pflanzen gedeihen hier noch, die Natur scheint noch überall intakt. Die Frage ist nur wie lange noch.
10 Denn die Schweiz ist von mächtigen Nachbarn umzingelt, die zwar einerseits auch die friedliche Bergwelt schätzen und als Urlaubsdomizile lieben, andererseits aber gewichtige Interessen geschäftlicher Art zu haben scheinen, die mit dem Erhalt der intakten Natur in Widerspruch
15 geraten. Gemeint ist die Europäische Union, kurz: EU.
Im Alpenland hat man erkannt, dass die Natur einen Feind hat: den Straßenverkehr. In der Vergangenheit hat man immer wieder dem Ansteigen der Auto- und Lastwagenflut nachgegeben, hat breitere Straßen gebaut, Autobahnen in
20 Bergmassive gehauen und mit Brücken Schluchten überwunden, denn der Strassenverkehr brachte auch mehr Touristen. Das Gastgewerbe nahm einen großen Aufschwung und brachte Wohlstand und Arbeitsplätze.
In jüngster Zeit stellte sich aber heraus, dass der größere
25 Straßenverkehr auch seinen Preis hatte: seltene Pflanzen verschwanden, Tierarten starben aus, plötzlich ergossen sich Unwetter von einer noch nie erlebten Heftigkeit und spülten ganze Berghänge in die Täler. Die Natur begann den Menschen klar zu machen, dass es mit der Umwelt-
30 zerstörung so nicht weitergehen konnte.
Besorgt um die Zukunft ihrer Alpenregionen erließ die Schweiz zahlreiche Umweltschutzgesetze. Zu einer der einschneidensten Maßnahmen gehörte jedoch der Versuch den Schwerverkehr größtenteils aus den Alpengebieten zu
35 verbannen und Güter mit dem Zug zu transportieren. Gleichzeitig kosteten Transitfahrten durch die Schweiz für ausländische Autos Geld. Aus der Sicht des Umweltschutzes erscheinen diese Maßnahmen nur vernünftig.

Doch hier wollte die EU nicht mitziehen. Die Schweizer
40 Transitgebühren, so die EU-Vertreter in Brüssel, verteuerten die Transporte von Waren zwischen den nördlichen und den südlichen EU-Ländern. Schließlich muss die holländische Butter in Spanien genauso preiswert sein wie in Holland und spanische Wurst muss es auch in Dänemark
45 im Sonderangebot geben. So jedenfalls lautet die wirtschaftliche Logik der EU. Der Umweltschutz ist in diesem Konzept offensichtlich nicht vorgesehen.
Wozu eigentlich muss man in Athen irische Milchprodukte kaufen können, wo doch die einheimischen zumeist viel
50 frischer sind und besser schmecken? Wozu wird deutsche Milch mit französischen Früchten in Portugal zu Fruchtjogurt verarbeitet, der dann in Grossbritannien verkauft wird? Könnte man das nicht an Ort und Stelle, da wo das Produkt verkauft wird, ebenso gut machen?
55 Sicher gibt es Waren, die nur in bestimmten Regionen produziert werden. Und wie jeder weiß, wachsen natürlich in Nordeuropa keine Orangen. Aber heißt das automatisch, dass alles kreuz und quer durch Europa gekarrt werden muss, damit überall in der EU das gleiche genormte
60 Angebot in den Läden besteht? Was nützt das ganze Hin und Her, wenn dereinst einmal die Natur zerstört ist und es keine Alpenwelt mehr gibt, in die man sich zur Erholung zurückziehen kann, in der man die Naturschönheit genießen und bewundern kann?
65 Die Schweizer haben verstanden, dass ihr Wohlergehen auch vom Wohlergehen der Natur um sie herum abhängig ist. Sie versuchen die Kosten, die durch die Schadstoffe aus den Auspuffrohren verursacht werden, zu reduzieren, indem sie dem Transitverkehr Beschränkungen auferlegen
70 und Gebühren fordern. Die EU sollte sich nicht nur auf den freien Transport von Waren konzentrieren, sie sollte auch daran denken, Lebensräume zu erhalten, die Umwelt zu schützen.
Oder sollen wir auf einen neuen Wilhelm Tell warten, der
75 dann auf Euro-Äpfel zielt?

von Daniel Welter

Wie beurteilt der Autor die Weigerung der EU, die Schweizer Versuche zur Reduzierung des Alpentransitverkehrs zu akzeptieren?

Lösung:

negativ/skeptisch
X

Wie beurteilt der Autor

1 den ursprünglichen Zustand der Schweizer Bergwelt?

2 die derzeitige Entwicklung des Schwerverkehrs (= Lastkraftverkehr) in den Schweizer Alpen?

3 die von der Schweiz erhobenen Transitgebühren für den Schwerverkehr?

4 die Praxis alle Arten von Waren von Nord nach Süd und von Süd nach Nord zu transportieren?

5 den Versuch der Schweiz den Alpentransitverkehr auf der Straße einzuschränken?

Frage	positiv	negativ/skeptisch
0		X
1		
2		
3		
4		
5		

15 Min
1 Text
250 Wörter
10 Punkte

➤ Lesen Sie den Text und wählen Sie bei den
  Aufgaben 1–10 das Wort (A, B, C, D), das in die Lücke passt.
➤ Es gibt jeweils nur eine richtige Lösung.

Obdachloser saß zwei Tage tot auf einer Bank in der City/Ein Nachruf

Basel. Dirk Matthei saß *0* ___ einer Bank mitten in Basel. Das Besondere *1* ___ ist: Er saß zwei Tage auf einer Bank mitten in der Stadt, dort, wo die Leute ihre Hunde zweimal am Tage spazieren führen. Keinem fiel auf, *2* ___ er sich
5 nicht bewegte. Irgend jemand fragte sich dann aber doch, warum er dort so lange unbeweglich wie eine Statue saß. So wurde die Polizei gerufen, die feststellte: Er war seit zwei Tagen tot.
Dirk Matthei ist 51 Jahre alt *3* ___. Er hatte Chemie
10 studiert und arbeitete nach erfolgreich abgelegtem Diplom bei einem großen pharmazeutischen Unternehmen. Er verdiente gut, heiratete, baute ein Haus, wo er mit *4* ___ Frau und seinen zwei Söhnen lebte. Jedes Jahr im Sommer fuhr die Familie in den Süden, den Winter verbrachte man
15 in Zermatt. Die Söhne *5* ___ intelligent und fleißig geraten, sie bescherten Mutter und Vater viel Freude und gute Noten.
Auch Dirk Mattheis Karriere verlief äußerst zufrieden stellend: Nach zehn Jahren war er Abteilungsleiter, das
20 Direktorium sah ihn bereits für Höheres vor. Dirks Frau war stolz *6* ___ ihren Mann, ihre Bewunderung zeigte sie ihm und aller Welt. Auch Dirk erklärte jedermann, *7* ___ glücklich er war.
Vor zwei Jahren aber geschah, was niemand verstand. Dirk
25 räumte seinen Schreibtisch leer und kehrte nie mehr in sein Büro zurück. Er zog es fortan *8* ___, sein Leben in Bahnhofsnähe zu verbringen. Natürlich erfuhr seine Familie, wo der Vater gelandet war, und suchte ihn öfters verschämt auf, um ihn dazu zu bewegen, nach Hause zurückzukehren. Zu-
30 meist lächelte Dirk Frau und Söhne an, ohne ein Wort zu sagen. Nur einmal *9* ___ er sich zu ihrer Frage und sagte: „Weil keiner hinsehen *10* ___, darum bin ich hier."

Beispiel: 0
A) über
B) unter
X) auf
D) in

1
A) daran
B) dazu
C) dafür
D) darüber

2
A) wenn
B) dass
C) während
D) ob

3
A) worden
B) gewesen
C) geworden
D) werden

4
A) seiner
B) sein
C) seine
D) seinem

5
A) wurden
B) hatten
C) wären
D) waren

6
A) für
B) in
C) auf
D) wegen

7
A) worüber
B) weshalb
C) wie
D) ob

8
A) über
B) vor
C) nach
D) mit

9
A) sagte
B) äußerte
C) meinte
D) redete

10
A) will
B) muss
C) soll
D) darf

Hörverstehen 4 – Test 1

Schnell Informationen entnehmen

10 Min ➢ Bitte lesen Sie zunächst die Aufgaben.
1 Dialog   Hören Sie dann das Gespräch in einem Reisebüro **e i n m a l**.
à 2 Min
15 Punkte ➢ Lösen Sie bereits während des Hörens die Aufgaben.
           Machen Sie Notizen.

0 Resturlaub des Kunden:........ *14 Tage* ....

1 Normale Urlaubsbeschäftigungen des Kunden: ....

2 Seine Preisvorstellung: ....

3 Reisebegleiterin des Kunden:...................................

4 Bevorzugtes Reiseziel der Leute: ....

5 Angebot des Reisebüros:..

6 Preis pro Person für eine Woche: ....

7 Hotelkategorie: ....

8 Entfernung zum Zentrum: ....

9 Name der Fluggesellschaft: ....

10 Zahlungsart: ....

25 Min	➤ Sie hören eine Radiosendung. Ein Moderator interviewt eine türkische Regisseurin, die in Deutschland aufgewachsen ist.
1 Dialog	
à 10 Min	Zu diesem Text sollen Sie zehn Aufgaben lösen.
15 Punkte	➤ Lesen Sie zuerst die Fragen 1–10 und das Beispiel.

➤ Hören Sie dann den Text zunächst einmal ganz.

➤ Hören Sie ihn anschließend noch einmal in Abschnitten – ein Ton zeigt Ihnen an, wann ein neuer Abschnitt beginnt.

➤ Bevor Sie einen Abschnitt hören, lesen Sie sich die dazu gehörenden Fragen durch.

➤ Beantworten Sie die Fragen während oder nach dem Hören.

Beispiel:

➤ Schauen Sie sich Frage 0 an.

➤ Hören Sie anschließend den dazugehörigen 1. Abschnitt.

 Wo hat Frau Cebeci studiert?

A) In der Schule.

B) An der Hochschule für Musik und Film.

C) Beim europäischen Kultursender arte.

➤ Schauen Sie sich jetzt die Fragen 1–4 an. Sie haben 2 Minuten Zeit.

➤ Hören Sie anschließend den dazugehörigen 2. Abschnitt und kreuzen Sie die richtige Lösung an.

 Was sagt Cebeci über Frauen beim Film?

A) Sie sind in der Minderheit, aber das wandelt sich allmählich.

B) Sie wollen beweisen, dass sie ebenso gute Filme machen können wie Männer.

C) Sie halten fest an ihren Plänen.

 Warum war es für Cebeci nicht leicht, das Abitur zu machen?

A) Sie hatte schlechte Noten.

B) Ihr Vater war dagegen.

C) Sie wollte in die Türkei zurück.

 Wie kam sie auf die Idee Regisseurin zu werden?

A) Sie wollte fotografieren.

B) Sie wollte ein Ziel haben.

C) Sie wollte, dass Menschen Geschichten erzählen.

 Warum hat sie im Film von ihrem Leben erzählt?

A) Der Film soll die Auseinandersetzung mit ihrer Mutter zeigen.

B) Sie wollte eine Erklärung für den Zwiespalt geben, den viele türkische Frauen spüren.

C) Sie wollte ihre Eltern porträtieren.

➢ Lesen Sie jetzt die Fragen 5–7.
➢ Hören Sie dann Abschnitt 3 und kreuzen Sie die richtige Lösung an.
   Sie haben wieder 2 Minuten Zeit.

5 Was war die Grundidee von Cebecis Film?

A) Sie wollte Frauen Mut machen etwas an ihrer Situation zu verändern.
B) Ihre Eltern sollten sehen, was sie sich wünschte.
C) Die Rolle der türkischen Frau in der Gesellschaft sollte gezeigt werden.

6 Was erkannte sie bei den Dreharbeiten in der Türkei?

A) Glück und Intelligenz sind zwei verschiedene Dinge.
B) Frauen waren glücklich mit der ihnen zugeordneten Rolle.
C) Die Situation der Frauen musste unbedingt verbessert werden.

7 Was zeigt die Reaktion der Leute in Deutschland Cebeci?

A) Sie wird gut verstanden.
B) Die Leute bewundern sie.
C) Sie ist keine Deutsche.

➢ Lesen Sie jetzt die Fragen 8–10.
➢ Hören Sie anschließend den 4. und letzten Abschnitt und kreuzen Sie die richtige Lösung an.

8 Warum spricht sie sich für eine doppelte Staatsbürgerschaft aus?

A) Sie zahlt ihre Steuern in Deutschland.
B) Sie fühlt sich sowohl in der Türkei als auch in Deutschland zu Hause.
C) Sie darf nicht wählen, wenn sie nur eine Staatsbürgerschaft hat.

9 Was hat Cebeci aus ihrem Aufenthalt in der Türkei gelernt?

A) Frauen und Männer haben es schwer.
B) Ihr Türkeibild stimmte nicht.
C) Sie hat die Widersprüche in sich erkannt.

10 Warum dreht sie ihren neuen Film?

A) Sie möchte einen Liebesfilm machen.
B) Sie hat jemanden gefunden, der ihr Geld gibt.
C) Sie möchte sich noch einmal mit der Thematik Frausein und Menschsein in unterschiedlichen Gesellschaftsformen befassen.

➢ Übertragen Sie die entsprechenden Buchstaben Ihrer Antworten in die folgende Tabelle:

0	1	2	3	4	5	6	7	8	9	10

Schriftlicher Ausdruck 4 – Test 1

Etwas berichten, Meinung äußern

70 Min
1 Brief/Referat
200–250 Wörter
20 Punkte

➤ Wählen Sie aus den folgenden Themen 1A, 1B, 1C eines aus.
   Sie haben dazu fünf Minuten Zeit.
➤ Gehen Sie dann zu der entsprechenden Aufgabe.

1A:
Formeller Brief

Thema:
Mitgliedschaft in einem Buchclub kündigen

Sie sind auf zweifelhafte Art als Mitglied in einem Buchclub geworben worden. Jetzt möchten Sie Ihre Mitgliedschaft wieder beenden. Dazu müssen Sie einen Kündigungsbrief schreiben.

1B:
Persönlicher Brief

Thema:
Ein Buch empfehlen

Eine Freundin, die sich gerade auf die Mittelstufenprüfung in Deutsch vorbereitet, schreibt Ihnen einen Brief. Darin fragt sie, ob Sie ihr ein Buch empfehlen können, das sie zur Entspannung lesen kann.

1C:
Referat

Thema:
Fremdsprachen lernen in Deutschland und in Ihrer Heimat

Sie sollen anhand eines Schaubildes über die Bereitschaft der Deutschen eine fremde Sprache zu lernen schreiben und mit der Situation in Ihrem Heimatland vergleichen.

Schriftlicher Ausdruck 4 – Test 1 A

Formeller Brief

Von einem Buchclub erhalten Sie ein Buchpaket und folgendes Schreiben:

Euro-Buchclub GmbH   Hamburg, den 18.06.1998
Postfach 1234567
20002 Hamburg

Bestellnummer 12121212
Ihre Mitgliedsnummer 9876543

Sehr geehrte Frau ..... /r Herr .....,

herzlichen Glückwunsch zu Ihrer neuen Mitgliedschaft in unserem Buchclub! Mit diesem Schreiben erhalten Sie das Einstiegsbuchpaket mit: Goethes Faust, Nietzsches Zarathustra und Thomas Manns Zauberberg in Leinen gebunden zum einmaligen Willkommenssonderpreis von nur 99,– DM.
Den Betrag zahlen Sie bitte mit beiliegendem Überweisungsträger innerhalb 30 Tagen.
Viel Spaß bei der Lektüre wünscht Ihnen

Richard Rabe
Marketingleiter Deutschland

➤ **Schreiben Sie einen Brief an den Euro-Buchclub, in dem Sie Ihre Mitgliedschaft widerrufen. Gehen Sie dabei auf folgende Punkte ein:**

- Beziehen Sie sich auf das Schreiben des Buchclubs und geben Sie Ihrer Verwunderung Ausdruck Mitglied zu sein
- Widerrufen Sie Ihre Mitgliedschaft (innerhalb von 10 Tagen kann man in Deutschland von Verträgen zurücktreten)
- Kündigen Sie an die Bücher auf Kosten des Clubs zurückzuschicken und begründen Sie Ihr Tun
- Äußern Sie eine Vermutung, wie der Buchclub an Ihre Unterschrift gekommen sein könnte (Unterschriftenaktion in der Fußgängerzone, Missverständnis, mangelnde Sprachkenntnisse etc.)
- Drücken Sie Ihren Ärger darüber aus, dass der Club offenbar versucht auf verdecktem Weg Mitglieder zu gewinnen.

➤ **Schreiben Sie etwa 200–250 Wörter.**
   Achtung!   Bitte geben Sie auch Adresse und Betreff an! Achten Sie darauf, dass Sie die Sätze sinnvoll miteinander verbinden.

Eine Freundin schreibt Ihnen diesen Brief:

Stuttgart, den 31.4.1998

Liebe ..../Lieber ....,

herzlichen Dank für deine Postkarte aus deinem Osterurlaub in Berlin. Du hast es gut, du kannst Urlaub machen und reisen, während ich hier sitze und mich auf die Uni-Aufnahmeprüfung in Deutsch vorbereite.

Ich hätte auch gern mal eine Abwechslung, denn ich kann doch nicht pausenlos lernen. Und Ausgehen macht bei dem Sauwetter draußen auch keinen Spaß.

Vielleicht wäre es ganz amüsant, ein gutes Buch zur Entspannung zu lesen. Aber vor lauter Prüfung habe ich überhaupt keine Idee, was ich lesen könnte.

Hast Du vielleicht einen Vorschlag?

Nach der Prüfung melde ich mich wieder, vielleicht können wir uns treffen?

Viele Grüße

deine Laura

➤ **Schreiben Sie Ihrer Freundin einen Antwortbrief und empfehlen Sie ihr ein Buch.**

- Bedanken Sie sich für den Brief und berichten Sie kurz über Ihre momentane Situation
- Schlagen Sie ein Buch vor, das Ihre Freundin lesen könnte
- Beschreiben Sie den Inhalt des Buches (den Schluss können Sie offen lassen)
- Schreiben Sie, warum Ihnen dieses Buch so gut gefällt
- Machen Sie ein paar weitere Vorschläge zur Entspannung bei der Prüfungsvorbereitung und wünschen Sie Ihrer Freundin viel Erfolg.

➤ **Schreiben Sie etwa 200–250 Wörter.**

Achtung! Achten Sie darauf, dass Sie die Sätze sinnvoll miteinander verbinden.

Die Sprachen-Hitliste der hessischen Volkshochschulen 1996

1. Englisch 51.000 TN

2. Deutsch als Fremdsprache 32.000 TN

3. Französisch 20.000 TN

4. Spanisch 16.000 TN

5. Italienisch 14.000 TN

6. Russisch 2.000 TN

7. Neugriechisch 1.400 TN

8. Schwedisch 1.300 TN

TN = Teilnehmerinnen und Teilnehmer

Quelle: p+b Verlag

➤ **Schreiben Sie ein Referat über die Bereitschaft Fremdsprachen zu lernen. Vergleichen Sie zwischen Deutschland und Ihrem Heimatland.**

➤ **Beachten Sie dabei folgende Punkte:**

- Beginnen Sie mit der Begrüßung der Zuhörer, stellen Sie sich vor und geben Sie einen Überblick über den Aufbau Ihres Referates

- Beschreiben Sie mit Hilfe des Schaubildes die Bereitschaft der Deutschen fremde Sprachen zu lernen. Welche Schaubildinformation ist für Sie überraschend?

- Was für Gründe mögen die Deutschen haben gerade die im Schaubild gezeigten Sprachen zu lernen?

- Wie groß ist die Bereitschaft fremde Sprachen zu lernen in Ihrem Heimatland und welche Möglichkeiten haben die Leute?

- Schließen Sie mit Ihrer Meinung darüber, welchen Stellenwert Fremdsprachenlernen hat.

➤ **Schreiben Sie etwa 200–250 Wörter.**

Achtung! Bei der Bewertung Ihres Referates wird nicht nur auf die Korrektheit Ihres Schreibens geachtet. Es ist genauso wichtig, wie Sie Ihre Abschnitte und Sätze miteinander verbinden.

20 Min	➤ Eine Gruppe von Österreichern hat einen Hausmännerclub gegründet. Zur Gründungsfeier lädt der Clubvorsitzende einen Freund und dann den Bürgermeister der Stadt Wien ein.
2 Briefe	
120 Wörter	
10 Punkte	➤ Füllen Sie die Lücken 1–10 in dem zweiten Brief. Greifen Sie dabei auf die Informationen aus dem ersten Brief zurück. In jede Lücke gehören ein oder zwei Wörter.

Beispiel: **0** = die Ehre

Lieber Egon,

wir, Otto, Gustav, André und ich, möchten dich zur Gründung unseres Hausmännerclubs „Erster Club Wiener Schürzenträger e.V." am 10. Jänner herzlich einladen.

Wir feiern beim Heurigen Meier in Grinzing. Du weißt ja, dass wir vier schon immer gern gekocht, geputzt, gewaschen und gebügelt haben und jetzt wollen wir das auch anderen Männern in Kursen beibringen. Dazu haben wir uns ein Programm ausgedacht: Wir zeigen unsere Kochkünste mit ein paar Schmankerln und es gibt ein Um-die-Wette-Abwaschen, bei dem man als ersten Preis ein Bügeleisen gewinnen kann. Da du ja auch gerne Hausmann bist, möchte ich dich fragen, ob du vielleicht am Anfang ein paar Worte sprechen könntest. Wir würden uns sehr freuen, wenn du kommst.

Servus, bis dann

dein Franz

Sehr geehrter Herr Bürgermeister,

Otto Prohaska, Gustav Paluschek, André Kierlinger und meine Wenigkeit geben sich **0** _die Ehre_ Sie zur Gründung unseres „Ersten Wiener Schürzenträger Clubs" am 10. Jänner einzuladen.

Die Gründungsfeierlichkeiten werden beim Heurigen Meier in Grinzing **1** _____ .

Unser Hobby ist schon lange Zeit das Kochen, Putzen, Waschen und Bügeln. Daher sehen wir es als unsere Aufgabe an, auch andere Männer in diesen Künsten **2** _____ und dafür Kurse **3** _____ .

Das Rahmenprogramm der Feier umfasst ein Schaukochen mit Wiener Schmankerln sowie einen **4** _____ im Schnellabwaschen. **5** _____ kann der Sieger ein Bügeleisen gewinnen.

Da auch Sie bekanntermaßen ein **6** _____ guter Hausmannskost sind, möchten wir Sie fragen, ob Sie zur **7** _____ eine kurze **8** _____ könnten.

Über **9** _____ wären wir sehr **10** _____ .

Mit freundlichen Grüßen

Franz Zirbler

Kurzlexikon Österreichisch – Deutsch:

der Jänner	= Januar
der Heurige	= 1. junger Wein, 2. Weinschenke
das Beisl	= Kneipe, Gasthof
das Schmankerl	= der Leckerbissen, die Spezialität (zum Essen)
Servus	= „Guten Tag" und „Auf Wiedersehen"
meine Wenigkeit	= ich

Mündlicher Ausdruck 4 – Test 1

Bildbeschreibung, über ein Thema sprechen

7 Min
2 Bilder
15 Punkte

➤ Sprechen Sie bitte so ausführlich wie möglich über die beiden Fotos.
➤ Sie sollen etwa 7 Minuten sprechen.

- Beschreiben Sie zuerst die Dinge und Personen sowie das Geschehen auf den Fotos, eine ausführliche Bildbeschreibung ist nicht nötig

- Finden Sie dann ein gemeinsames Thema für beide Fotos und formulieren Sie dazu eine Frage von allgemeinem Belang und/oder

- Vergleichen Sie die dargestellten Situationen mit den Verhältnissen in Ihrem Heimatland und/oder

- Berichten Sie von persönlichen Erfahrungen.

Mündlicher Ausdruck 4 – Test 2
Ein Problem diskutieren und sich einigen

7 Min
3 Fotos
15 Punkte

➤ Eine Zeitung in Ihrem Heimatland hat Sie gebeten einen Bericht über alte Menschen in Deutschland zu verfassen. Inwiefern leben Rentner in Deutschland anders als bei Ihnen?

➤ Suchen Sie mit Ihrem Partner/Ihrer Partnerin die Abbildung aus, die am besten Ihren Beitrag illustrieren könnte.

  • Schauen Sie sich zunächst die Fotos an und bilden Sie sich selbst eine Meinung

  • Diskutieren Sie anschließend mit Ihrem Partner/Ihrer Partnerin Ihre Meinung

  • Kommen Sie am Ende zu einer gemeinsamen Entscheidung.

➤ Führen Sie ein Gespräch von etwa 7 Minuten.

Lösungen – Prüfung 4

Leseverstehen 4 – Test 1

1 E
2 A
3 D
4 –
5 C

Leseverstehen 4 – Test 2

1. viertausend
2. vom Charme/von der Nostalgie dieser Institution
3. „Theorie des Café Central" (von Alfred Polgar)
4. gegen die Türken
5. als Agent/als Kundschafter/als Spion u.ä.
6. die Konzession für ein Kaffeehaus/für Wiens erstes Kaffeehaus bekommen/erhalten u.ä.
7. aus Arabien
8. Herzögen (der Babenberger)
9. aus der Zuckerrübe den Zucker billiger zu gewinnen/herzustellen/zu produzieren/billiger Zucker herzustellen
10. seiner Form/seinem Aussehen u.ä.

Leseverstehen 4 – Test 3

Frage	positiv	negativ/skeptisch
1	X	
2		X
3	X	
4		X
5	X	

Leseverstehen 4 – Test 4

  1 A)
  2 B)
  3 C)
  4 A)
  5 D)
  6 C)
  7 C)
  8 B)
  9 B)
10 A)

Hörverstehen 4 – Test 1

1) sonnen/gut essen/entspannen etc.
2) 2.000–3.000 DM
3) seine Frau
4) Insel im Mittelmeer
5) Teneriffa (Hotel Turquesa Playa)
6) DM 1.299
7) Vier-Sterne
8) ein Kilometer
9) Condor
10) Scheck

Hörverstehen 4 – Test 2

1	2	3	4	5	6	7	8	9	10
A	B	C	B	A	B	C	B	B	C

Schriftlicher Ausdruck 4 – Test 2

1. stattfinden
2. zu unterrichten
3. anzubieten, zu veranstalten
4. Wettbewerb
5. Dabei / Als Preis
6. Freund, Liebhaber etc.
7. Eröffnung
8. Rede halten
9. Ihr Kommen
10. erfreut

Transkriptionen – Prüfung 4

Hörverstehen 4 – Test 1
Im Reisebüro

Reisebüro: Guten Tag, was kann ich für Sie tun?

Kunde: Ja, wissen Sie, ich habe noch 14 Tage Resturlaub, den muss ich sofort nehmen. Das Problem ist nur, ich weiß überhaupt nicht, wohin ich fahren soll.

Reisebüro: Was machen Sie denn normalerweise im Urlaub?

Kunde: Ja, Sonne, Strand, gut essen, entspannen eben.

Reisebüro: Also Pauschalreise, Hotel mit Halb- oder Vollpension, Anreise mit dem Flugzeug?

Kunde: Ja, so ungefähr. Hätten Sie denn irgend etwas Preiswertes so kurzfristig?

Reisebüro: Wieviel wollen Sie denn ausgeben?

Kunde: Ja, ich dachte so zwischen zwei- und dreitausend Mark.

Reisebüro: Na, da lässt sich doch bestimmt etwas finden.

Kunde: Also ich meine, insgesamt wollte ich dreitausend ausgeben, für meine Frau und mich.

Reisebüro: Oh, dreitausend für zwei! Jetzt? Da sieht es leider gar nicht gut aus. Sie können sich das sicher denken, um diese Jahreszeit wollen alle schnell auf eine Insel im Mittelmeer. Da sind die besonders günstigen Angebote natürlich im Nu weg. Aber schaun wir mal. Also, die Kanaren sind zu; Malta, Kreta ist weg; Zypern ausgebucht. Aber warten Sie mal, ja, hier habe ich noch etwas. Hotel Turquesa Playa auf Teneriffa. Wäre das was für Sie?

Kunde: Hm, ja, ja, wie teuer käme denn das?

Reisebüro: Das sind pro Person 1.299 Mark für eine Woche, für zwei Wochen 1.699.

Kunde: Mhmm, und was bekomme ich für das Geld?

Reisebüro: Im Preis enthalten sind: Halbpension natürlich, das heißt Buffet und einmal in der Woche gibt es ein Galadiner. Die Zimmer haben Telefon, Minibar, einen Mietsafe, Fernsehen gibt's natürlich auch. Und Klimaanlage, eben all das, was Sie bei einem Vier-Sterne-Hotel erwarten können.

Kunde: Und welche Unterhaltungsmöglichkeiten werden geboten?

Reisebüro: Tagsüber gibt es Animation, abends gelegentlich Shows. Gegen Aufpreis können Sie den Squashcourt, den Fitnessraum und die Sauna benutzen, und dann gibt es noch die Möglichkeit Minigolf zu spielen. Der Pool liegt gleich ...

Kunde: Entschuldigen Sie, wo liegt denn das Hotel? Ist es weit bis zum Strand?

Reisebüro: Nein, überhaupt nicht. Das sind vielleicht hundert Meter. Und zum Zentrum von Puerto De la Cruz ist es auch nicht weit: Ein Kilometer steht hier in der Beschreibung.

Kunde: Das klingt ja alles sehr gut. Ich glaube, das wäre etwas für uns. Mit welcher Chartergesellschaft würden wir denn fliegen?

Reisebüro: Das ist, warten Sie mal, ja, mit Condor.

Kunde: Also, da bin ich ja beruhigt. Gut. Muss ich gleich alles bezahlen oder genügt eine Anzahlung?

Reisebüro: Bei so kurzfristigen Buchungen genügt eine Anzahlung leider nicht. Sie müssten die ganze Summe sofort bezahlen, und zwar per Scheck.

Kunde: Fein, haben Sie vielleicht einen Kugelschreiber?

Reisebüro: Ja, bitte.

Hörverstehen 4 – Test 2
Interview mit der Regisseurin Seher Cebeci

♪

Moderator: Guten Tag, verehrte Zuhörerinnen und Zuhörer. In unserer Sendereihe „Menschen unter uns" hören Sie heute ein Interview, das ich mit Frau Seher Cebeci führen werde. Frau Cebeci ist Regisseurin, sie ist noch recht jung, das darf ich an dieser Stelle ruhig einmal sagen. Frau Cebeci kam mit zwei Jahren aus der Türkei nach Deutschland, hat hier später die Schule besucht, sie hat dann an der Hochschule für Musik und Film in München studiert. Ihre Abschlussarbeit wurde vom europäischen Kultursender arte ausgestrahlt, also man kann sagen, ein Start nach Maß.

♪♪

Moderator: Frau Cebeci, guten Tag, auch wenn das Berufsbild Regisseur durch einige Frauen, die recht erfolgreiche deutsche Filme in den letzten Jahren gemacht haben, ein paar weiblichere Züge bekam, glaube ich doch, dass nach wie vor die meisten Regisseure männlichen Geschlechts sind. Wenn ich nun noch bedenke, dass Sie aus der Türkei kommen, dann frage ich mich: Wie kamen Sie auf diese recht ungewöhnliche Idee diesen Beruf zu ergreifen?

Cebeci: Bevor ich Ihre Frage beantworte eine Bemerkung vorweg: Regisseure sind immer männlichen Geschlechts, die weiblichen Vertreter dieses Berufsstandes nennt man Regisseurinnen.

Moderator: Entschuldigen Sie, als ich Regisseure sagte, meinte ich natürlich auch Regisseurinnen damit. Aber Sie haben natürlich Recht, gerade wir hier beim Funk sollten Sprache korrekt gebrauchen.

Cebeci: Aber auch Sie haben natürlich ganz Recht mit Ihrer Aussage und Ihr Versprecher belegt das ja auch, Frauen sind noch immer in der Minderheit beim Film, obwohl sich auch da vieles wandelt. In einem Männerberuf zu beweisen, dass auch eine Frau dort durchaus ihren Mann stehen kann, das war für mich ein ganz wichtiger Grund, diesen Beruf zu ergreifen. Obwohl, ganz richtig ist das

doch nicht, es war vielleicht eher ein wichtiger Grund nicht aufzugeben, also festzuhalten an meinem Plan, wenn es mal nicht so richtig vorwärts gehen wollte. Denn der Wunsch selbst Regisseurin zu werden war einfach irgendwann da. Wie eine fixe Idee. Bis ich dann aber endlich in München anfangen konnte, verging allerdings noch einige Zeit. Als ich nämlich endlich mein Abitur hatte, wusste ich zuerst gar nicht, was ich machen sollte. Ich habe ein bisschen gejobbt, gelebt und überlegt, was ich denn nun machen könnte. Aber studieren wollte ich schon unbedingt. Denn es war gar nicht so leicht, das Abitur zu machen. Nicht wegen meiner Noten. Mein Vater war strikt dagegen. Er wollte mich mit sechzehn von der Schule nehmen und zurück in die Türkei schicken. Da habe ich mich allerdings dagegen gewehrt. Ich will jetzt nicht über all das erzählen, was damals passierte, nur so viel: Mit sechzehn begann ich mein eigenes Leben zu führen. Und das, weil ich eben unbedingt das Abitur machen wollte und auch unbedingt weiter hier in Deutschland leben wollte. Aus diesem Grund also wollte ich auch unbedingt studieren, wollte meinem Vater, meiner Mutter beweisen, dass wir alle nicht umsonst gelitten hatten. Meine Eltern sollten stolz auf mich sein. Ja, und irgendwann war dann diese Idee da: Ich hatte schon immer gern fotografiert und dann fragte ich mich auf einmal, warum immer nur unbewegte Gesichter zeigen? Warum sollten diese Gesichter, diese Menschen nicht auch Geschichten erzählen? Und von da an begann ich zielstrebig auf dieses Ziel loszuarbeiten. Und ...

Moderator: Entschuldigen Sie, dass ich Sie unterbreche, aber ich möchte an dieser Stelle doch gleich einmal nachhaken und auf Ihren Abschlussfilm an der Hochschule zu sprechen kommen. Der Titel heißt Tochter ihrer Mutter. Ist das denn die autobiografische Auseinandersetzung mit Ihren Eltern, mit den Schwierigkeiten, von denen Sie soeben sprachen?

Cebeci: Ja und nein. Also, ja, weil ich in diesem Film meine Eltern porträtiere, mein Elternhaus; über Dinge dort spreche, die in unserer Familie passierten. Der Film, – der Film ist die Auseinandersetzung mit meiner Mutter, die eine ganz traditionelle Türkin ist. Ja, und deswegen würde ich wiederum sagen, nein, es ist kein autobiografischer Film. Diese Auseinandersetzung dort ist ja eine Auseinandersetzung mit der türkischen Tradition, mit der Rolle der Frau in dieser türkischen

Gesellschaft und ich glaube, diesen Zwiespalt fühlen sehr viele Frauen dort. Und leiden darunter. Und für mich, die ich in Deutschland groß geworden bin, deutsche Freundinnen und Freunde hatte und auch habe, ist dieses Rollenverständnis natürlich so unbegreiflich, dass ich es nicht einfach wegschieben kann. Das Autobiografische in meinem Film sollte eine Erklärung bieten.

♪♪♪

Cebeci: Als ich den Film zu konzipieren begann, war mein Gedanke: Ich muss meinen Eltern erklären, warum ihre Tochter nicht so sein kann, wie sie sich das gerne gewünscht hätten. Ich wollte aufräumen mit der, meiner Meinung nach, entsetzlich überholten Vorstellung von der Rolle der türkischen Frau in der Gesellschaft. Also, die Frau, die sich noch heute verheiraten lässt, die brav den Mund in der Öffentlichkeit hält und ihren Platz einzig im Haus sieht. Ich wollte türkischen Frauen Mut machen, gegen diese Rolle zu kämpfen.

Moderator: Hat sich denn im Laufe der Arbeit an dem Film etwas an Ihren Vorstellungen, an Ihren Einstellungen dazu geändert? Ich meine das irgendwie rauszuhören.

Cebeci: Oh, ja, ganz gewiss. Sehr viel hat sich verändert. Also, ich muss sagen, ich wusste plötzlich gar nicht mehr so sicher, ob solch ein verändertes Rollenverständnis wünschenswert ist. Das war bei den Dreharbeiten, zu Hause in der Türkei, bei meinen Verwandten. Ich erkannte, wie wichtig die Frau im Haus ist, wie wichtig für die Familie und schließlich erkannte ich, wie unzufrieden ich war, ganz im Gegensatz zu diesen Frauen. Die waren oder wirkten zumindest zufrieden und glücklich. Und das Merkwürdige daran war, das hatte überhaupt nichts mit Intelligenz zu tun. So geriet ich plötzlich in Erklärungsnot mir selbst gegenüber. Was suchte ich? Wieviel Sinn machte mein Leben? Wie zufrieden war ich mit meiner Arbeit? Ja, und von da an, das kann man ruhig sagen, und das sieht man ja auch, da wurde der Film zu einer Art Erklärungsversuch für mich. Ein Rechtfertigungsversuch für meine Art zu leben. So versuchte ich in diesem Film, von mir ausgehend, die Probleme darzustellen, die all wir Türken und Türkinnen haben, die wir hier geboren wurden oder so lange hier leben, dass wir uns

eigentlich genau wie Deutsche fühlen. Also, ein Leben lang werden wir diese Probleme haben.

Moderator: Vielleicht wäre es für unsere Hörerinnen und Hörer ganz interessant zu erfahren, wie sich junge Menschen wie Sie, die hier in Deutschland geboren und großgeworden sind, fühlen. Wie würden Sie sich denn selbst beschreiben: als türkische Filmemacherin oder als deutsche?

Cebeci: Ja, wie soll ich das beschreiben? Ich denke auf Deutsch, ich denke und spreche wie ein Deutscher, eine Deutsche. Eigentlich fühle ich mich hier zu Hause. Ich sehe zwar nicht unbedingt wie eine Deutsche aus, aber nicht alle Deutschen sind blond. Gottseidank! Nein, ich selbst fühle keinen Unterschied. Aber die Reaktion der Leute macht mir dann immer wieder klar, dass ich keine Deutsche bin. Sie kommen doch sicher aus, Sie sind aber keine Deutsche, wo haben Sie denn so gut sprechen gelernt, usw. Ja, dann denke ich daran, dass es in meinem Bewusstsein noch ein zweites Zuhause gibt. Dorthin gehört meine Familie und manchmal, wenn ich deprimiert bin oder denke, Mensch jetzt benimmst du dich aber ganz melodramatisch, dann merke ich, da kollidieren die zwei Zuhause, also das, welches in mir drinnen wohnt, mit dem, in dem ich bin. In dem ich lebe. Gut. Also, also zurück zu Ihrer Frage, ich würde mich als deutsch-türkische Filmemacherin bezeichnen.

♪♪♪♪

Moderator: Das ist ja interessant. Habe ich Sie richtig verstanden? Ihr erstes Zuhause ist Deutschland, dort wohnen Sie, Ihr zweites Zuhause, die Türkei, die wohnt in Ihnen?

Cebeci: Ja, ja, genau so ist es. Und deshalb habe ich das letzte Jahr auch in der Türkei verbracht, um auch mal in diesem Zuhause zu leben. Wissen Sie, das Interessante daran war, plötzlich war das alles umgekehrt. Deutschland fand im Kopf statt, während die Türkei um mich herum stattfand.

Moderator: Frau Cebeci, Sie wissen, es gibt die Diskussion hier um die doppelte Staatsbürgerschaft. Bisher ist es ja in Deutschland nicht möglich, zwei Staatsbürgerschaften zu haben. Wie stehen Sie dazu?

Cebeci: Wenn Sie an diese meine beiden Zuhause denken, erübrigt sich die Frage eigentlich schon. Für mich ist es unmöglich mich für eine Staatsbürgerschaft zu entscheiden. Ich bin so deutsch wie andere Deutsche. Ich habe nicht vor, in einem anderen Land zu leben. Ich zahle Steuern, aber ich darf bei Bundestagswahlen nicht wählen, weil es ja keine doppelte Staatsbürgerschaft gibt. Diese Beschneidung meiner Grundrechte finde ich sehr ungerecht. Im höchsten Maß undemokratisch.

Moderator: Nun würde Ihnen aber jemand, der nur für eine Staatsbürgerschaft ist, entgegenhalten, Sie könnten doch die deutsche Staatsbürgerschaft annehmen. Sie müssen lediglich die türkische ablegen.

Cebeci: Ich kann aber weder ohne die eine noch die andere sein. Also, ich würde diesem Jemand entgegenhalten, ob er, bloß weil er in einem katholischen Bundesland lebt, seine Eltern aber evangelisch waren, er also auch evangelisch ist, ob er seinen evangelischen Glauben also gegen den katholischen umtauschen würde. Wobei natürlich Glaube nicht einer Staatsbürgerschaft gleichzusetzen ist. Das sind ja zwei ganz verschiedene Dinge. Ob Protestant oder Katholik, beide leben in diesem deutschen Staat, den es in seiner jetzigen Form seit 1990 gibt. Na ja, vielleicht würde ich diesem Jemand besser so antworten: Dürfen Sie als Niedersachse in Bayern zu den Landtagswahlen gehen, wenn Sie dort wohnen, also Ihren ersten Wohnsitz haben?

Moderator: Frau Cebeci, es wäre sicher ganz interessant, weiter über dieses Thema zu sprechen, aber leider ist, wie immer, unsere Sendezeit begrenzt. Lassen Sie mich eine letzte Frage stellen: Wovon wird Ihr nächster Film handeln?

Cebeci: Ich sagte bereits, ich habe das letzte Jahr in der Türkei verbracht. Ich habe einiges von meinem Türkeibild revidieren müssen. In gutem wie in schlechtem Sinne. Der Widersprüchlichkeit in mir bin ich dadurch aber nicht viel näher gekommen. Deshalb will ich mich mit dieser Thematik, die mich so bewegt, nämlich Frausein und Menschsein in zwei verschiedenen Gesellschaftsformen, noch einmal in einem Film befassen. Geldgeber dafür sind gottlob gefunden, die Dreharbeiten haben vor einem Monat begonnen, ich hoffe, dass der Film in drei Monaten fertig ist. Diesmal wird dieser Film aber weniger dokumentarische Züge haben, sondern reinen Spielfilm-charakter, witzig, mehr Komödie soll er sein. Und auch die Sexualität soll diesmal dabei ausgeleuchtet werden. Der Arbeitstitel lautet: Ali und seine vierzig Bräute.

Moderator: Na, das klingt ja vielversprechend. Frau Cebeci, vielen Dank für Ihren Besuch hier im Studio. Ich wünsche Ihnen weiterhin viel Erfolg. Liebe Zuhörerinnen und Zuhörer, ich hoffe, dies Interview hat sie ein wenig neugierig gemacht auf Seher Cebeci und ihre Filme. Auf Wiederhören.

Kompetent und stilsicher beim Schreiben und Sprechen

- Abwechslungsreiche Aufgaben regen zum kreativen Umgang mit der deutschen Sprache an.

- Vier Schwierigkeitsstufen bieten Lernenden mit guten Grundstufenkenntnissen ebenso viel Übungsstoff wie sprachlichen Könnern.

- Mit originellen, ernsten und amüsanten Texten aus Literatur und Alltag tauchen Sie ein in ein lebendig geschriebenes und gesprochenes Deutsch.

- Auch der Selbstlerner findet in *Grammatik mit Sinn und Verstand*, was er sucht: verständliche, anwendungsorientierte Regeln mit vielen Beispielsätzen, übersichtliche Formentabellen, einen Grammatik- und Wortindex zur schnellen Orientierung sowie ein separates Lösungsheft.

Grammatik mit Sinn und Verstand

Von W. Rug und A. Tomaszewski

Lehr- und Übungsbuch	320 Seiten	ISBN 3-12-675335-3
Lösungsheft	55 Seiten	ISBN 3-12-675334-5

20 Kapitel deutsche Grammatik für Fortgeschrittene

Ein Lese-, Lehr- und Übungsbuch für den Einsatz an Schulen, Universitäten und Instituten in und außerhalb Deutschlands sowie zum Selbstlernen

Klett International
Edition Deutsch
Postfach 10 60 16, D-70049 Stuttgart
E-Mail: ki@klett-mail.de
Internet: http://www.klett.de

Klett International EDITION DEUTSCH